Le
Livre
de
Poche
Jeunesse

Les trois mousquetaires

Alexandre Dumas

Né en 1802 à Villers-Cotterêts, et orphelin de son père à quatre ans, Alexandre Dumas doit très tôt gagner sa vie. À vingt ans, il part à Paris et, en autodidacte, il publie très rapidement poèmes et nouvelles. L'immense succès de son drame *Henri III et sa cour* en 1829 en fait l'un des chefs de file du mouvement romantique. Ses romans paraissent souvent en feuilletons et connaissent aussi un grand succès populaire. Mais d'énormes investissements théâtraux ou journalistiques disperseront sa fortune. C'est presque dans la misère que meurt Alexandre Dumas, en 1870.

Du même auteur :

Alexandre Dumas

Les trois mousquetaires

Texte abrégé

1

Les trois présents de M. d'Artagnan père

Le premier lundi du mois d'avril 1625, le bourg de Meung semblait être dans une révolution aussi entière que si les huguenots[1] en fussent venus faire une seconde Rochelle. Plusieurs bourgeois se dirigeaient vers l'hôtellerie du *Franc Meunier*, devant laquelle s'empressait, en grossissant de minute en minute, un groupe compact, bruyant et plein de curiosité.

Arrivé là, chacun put voir et reconnaître la cause de cette rumeur.

Un jeune homme… – traçons son portrait d'un seul trait de plume : trop grand pour un adolescent, trop petit pour un homme fait, et qu'un œil peu exercé eût pris pour un fils de fermier en voyage, sans sa longue épée qui, pendue à un baudrier[2] de peau, bat-

---

1. Les protestants français.
2. Bande mise en bandoulière qui sert à porter l'épée.

tait les mollets de son propriétaire quand il était à pied, et le poil hérissé de sa monture quand il était à cheval.

Car notre jeune homme avait une monture : c'était un bidet du Béarn, âgé de douze ou quatorze ans, jaune de robe, sans crins à la queue, et qui, tout en marchant la tête plus bas que les genoux, faisait encore ses huit lieues[3] par jour. Malheureusement les qualités de ce cheval étaient si bien cachées sous son poil étrange et son allure incongrue, que dans un temps où tout le monde se connaissait en chevaux, l'apparition du susdit bidet à Meung, où il était entré il y avait un quart d'heure à peu près par la porte de Beaugency, produisit une sensation dont la défaveur rejaillit jusqu'à son cavalier.

Et cette sensation avait été d'autant plus pénible au jeune d'Artagnan (ainsi s'appelait le don Quichotte de cette autre Rossinante), qu'il ne se cachait pas le côté ridicule que lui donnait, si bon cavalier qu'il fût, une pareille monture ; aussi avait-il fort soupiré en acceptant le don que lui en avait fait M. d'Artagnan père.

— Mon fils, avait dit le gentilhomme gascon – dans ce pur patois de Béarn dont Henri IV n'avait jamais pu parvenir à se défaire –, mon fils, ce cheval est né dans la maison de votre père, il y a tantôt treize ans, et y est resté depuis ce temps-là, ce qui doit vous porter à l'aimer. Ne le vendez jamais, laissez-le mourir tranquillement et honorablement de vieillesse, et si

_____

3. Une lieue équivalait à environ quatre kilomètres.

vous faites campagne avec lui, ménagez-le comme vous ménageriez un vieux serviteur. À la cour, continua M. d'Artagnan père, si toutefois vous avez l'honneur d'y aller, honneur auquel, du reste, votre vieille noblesse vous donne des droits, soutenez dignement votre nom de gentilhomme, qui a été porté dignement par vos ancêtres depuis plus de cinq cents ans. C'est par son courage, entendez-vous bien, par son courage seul, qu'un gentilhomme fait son chemin aujourd'hui. Ne craignez pas les occasions et cherchez les aventures. Je vous ai fait apprendre à manier l'épée ; vous avez un jarret de fer, un poignet d'acier ; battez-vous à tout propos ; battez-vous d'autant plus que les duels sont défendus, et que, par conséquent, il y a deux fois du courage à se battre. Je n'ai, mon fils, à vous donner que quinze écus[4], mon cheval et les conseils que vous venez d'entendre. Votre mère y ajoutera la recette d'un certain baume qu'elle tient d'une bohémienne, et qui a une vertu miraculeuse pour guérir toute blessure qui n'atteint pas le cœur. Faites votre profit du tout, et vivez heureusement et longtemps. Je n'ai plus qu'un mot à ajouter, et c'est un exemple que je vous propose, non pas le mien, car je n'ai, moi, jamais paru à la cour et n'ai fait que les guerres de religion en volontaire ; je veux parler de M. de Tréville, qui était mon voisin autrefois, et qui a eu l'honneur de jouer tout enfant avec notre roi Louis treizième, que Dieu conserve ! Quelquefois leurs jeux dégénéraient en bataille, et dans ces batailles le roi n'était pas toujours

---

4. Un écu valait trois livres.

le plus fort. Les coups qu'il en reçut lui donnèrent beaucoup d'estime et d'amitié pour M. de Tréville. Plus tard, M. de Tréville se battit contre d'autres dans son premier voyage à Paris, cinq fois ; depuis la mort du feu roi jusqu'à la majorité du jeune sans compter les guerres et les sièges, sept fois ; et depuis cette majorité jusqu'aujourd'hui, cent fois peut-être ! Aussi, malgré les édits, les ordonnances et les arrêts, le voilà capitaine des mousquetaires, c'est-à-dire chef d'une légion de Césars dont le roi fait un très grand cas, et que M. le cardinal redoute, lui qui ne redoute pas grand-chose, comme chacun sait. De plus, M. de Tréville gagne dix mille écus par an ; c'est donc un fort grand seigneur. Il a commencé comme vous ; allez le voir avec cette lettre, et réglez-vous sur lui, afin de faire comme lui.

Sur quoi, M. d'Artagnan père ceignit à son fils sa propre épée, l'embrassa tendrement sur les deux joues et lui donna sa bénédiction.

Avec un pareil vade-mecum[5], d'Artagnan se trouva, au moral comme au physique, une copie exacte du héros de Cervantes. Don Quichotte prenait les moulins à vent pour des géants et les moutons pour des armées, d'Artagnan prit chaque sourire pour une insulte et chaque regard pour une provocation. Il en résulta qu'il eut toujours le poing fermé depuis Tarbes jusqu'à Meung, et que l'un dans l'autre il porta la main au pommeau de son épée dix fois par jour ; toutefois le poing ne descendit sur aucune mâchoire,

---

5. Guide (mots latins).

et l'épée ne sortit point de son fourreau. D'Artagnan demeura majestueux et intact dans sa susceptibilité jusqu'à cette malheureuse ville de Meung.

Mais là, comme il descendait de cheval à la porte du *Franc Meunier* sans que personne, hôte, garçon ou palefrenier, fût venu prendre l'étrier au montoir[6], d'Artagnan avisa à une fenêtre entrouverte du rez-de-chaussée un gentilhomme de belle taille et de haute mine, quoique au visage légèrement renfrogné, lequel causait avec deux personnes qui paraissaient l'écouter avec déférence. D'Artagnan crut tout naturellement, selon son habitude, être l'objet de la conversation et écouta. Cette fois, d'Artagnan ne s'était trompé qu'à moitié : ce n'était pas de lui qu'il était question, mais de son cheval. Le gentilhomme paraissait énumérer à ses auditeurs toutes ses qualités, et ils éclataient de rire à tout moment. Or, comme un demi-sourire suffisait pour éveiller l'irascibilité du jeune homme, on comprend quel effet produisit sur lui tant de bruyante hilarité.

— Eh ! Monsieur, s'écria-t-il, Monsieur, qui vous cachez derrière ce volet ! oui, vous, dites-moi donc un peu de quoi vous riez, et nous rirons ensemble.

L'inconnu le regarda un instant avec son léger sourire, et, se retirant de la fenêtre, sortit lentement de l'hôtellerie pour venir à deux pas de d'Artagnan se planter en face du cheval.

D'Artagnan, le voyant arriver, tira son épée d'un pied hors du fourreau.

---

6. Bloc dont on se servait pour monter à cheval.

— Ce cheval est décidément ou plutôt a été dans sa jeunesse bouton d'or, reprit l'inconnu continuant les investigations commencées et s'adressant à ses auditeurs de la fenêtre. C'est une couleur fort connue en botanique, mais jusqu'à présent fort rare chez les chevaux.

— Tel rit du cheval qui n'oserait pas rire du maî-tre ! s'écria l'émule[7] de Tréville, furieux.

— Je ne ris pas souvent, Monsieur, reprit l'inconnu, ainsi que vous pouvez le voir vous-même à l'air de mon visage ; mais je tiens cependant à conserver le privilège de rire quand il me plaît.

— Et moi, s'écria d'Artagnan, je ne veux pas qu'on rie quand il me déplaît !

— En vérité, Monsieur ? continua l'inconnu plus calme que jamais, eh bien ! c'est parfaitement juste.

Et tournant sur ses talons, il s'apprêta à rentrer dans l'hôtellerie par la grande porte, sous laquelle d'Artagnan en arrivant avait remarqué un cheval tout sellé.

Mais d'Artagnan n'était pas de caractère à lâcher ainsi un homme qui avait eu l'insolence de se moquer de lui. Il tira son épée entièrement du fourreau et se mit à sa poursuite en criant :

— Tournez, tournez donc, Monsieur le railleur, que je ne vous frappe point par-derrière.

— Me frapper, moi ! dit l'autre en pivotant sur ses talons et en regardant le jeune homme avec autant

---

7. Le fervent partisan.

d'étonnement que de mépris. Allons, allons donc, mon cher, vous êtes fou !

Il achevait à peine, que d'Artagnan lui allongea un si furieux coup de pointe, que, s'il n'eût fait vivement un bond en arrière, il est probable qu'il eût plaisanté pour la dernière fois. L'inconnu vit alors que la chose passait[8] la raillerie, tira son épée, salua son adversaire et se mit gravement en garde. Mais au même moment ses deux auditeurs, accompagnés de l'hôte, tombèrent sur d'Artagnan à grands coups de bâton. Cela fit une diversion si rapide et si complète à l'attaque, que l'adversaire de d'Artagnan, pendant que celui-ci se retournait pour faire face à cette grêle de coups, rengainait avec la même précision, et, d'acteur qu'il avait manqué d'être, redevenait spectateur du combat, rôle dont il s'acquitta avec son impassibilité ordinaire, tout en marmottant néanmoins :

— La peste soit des Gascons ! Remettez-le sur son cheval orange, et qu'il s'en aille !

Mais l'inconnu ne savait pas encore à quel genre d'entêté il avait affaire ; d'Artagnan n'était pas homme à jamais demander merci. Le combat continua donc ; enfin d'Artagnan, épuisé, laissa échapper son épée qu'un coup de bâton brisa en deux morceaux. Un autre coup, qui lui entama le front, le renversa presque en même temps tout sanglant et presque évanoui.

C'est à ce moment que de tous côtés on accourut sur le lieu de la scène. L'hôte, craignant du scandale,

---

8. Dépassait la simple plaisanterie.

emporta, avec l'aide de ses garçons, le blessé dans la cuisine où quelques soins lui furent accordés.

Quant au gentilhomme, il était revenu prendre sa place à la fenêtre et regardait avec une certaine impatience toute cette foule, qui semblait en demeurant là lui causer une vive contrariété.

— Eh bien ! comment va cet enragé ? reprit-il en se retournant au bruit de la porte qui s'ouvrit et en s'adressant à l'hôte qui venait s'informer de sa santé.

— Il va mieux, dit l'hôte : il s'est évanoui tout à fait.

— Vraiment ? fit le gentilhomme.

— Mais avant de s'évanouir il a rassemblé toutes ses forces pour vous appeler et vous défier en vous appelant.

— Mais c'est donc le diable en personne que ce gaillard-là ! s'écria l'inconnu.

— Je vous dis cela, mon gentilhomme, reprit l'hôte, afin que vous vous teniez sur vos gardes.

— Et il n'a nommé personne dans sa colère ?

— Si fait, il frappait sur sa poche, et il disait : « Nous verrons ce que M. de Tréville pensera de cette insulte faite à son protégé. »

— M. de Tréville ? dit l'inconnu en devenant attentif… Voyons, mon cher hôte, pendant que votre jeune homme était évanoui, vous n'avez pas été, j'en suis bien sûr, sans regarder aussi cette poche-là. Qu'y avait-il ?

— Une lettre adressée à M. de Tréville, capitaine des mousquetaires.

— En vérité !

Et l'inconnu tomba dans une réflexion qui dura quelques minutés.

— Voyons, l'hôte, dit-il, est-ce que vous ne me débarrasserez pas de ce frénétique ? En conscience, je ne puis le tuer, et cependant, ajouta-t-il avec une expression froidement menaçante, cependant il me gêne. Où est-il ?

— Dans la chambre de ma femme, où on le panse, au premier étage.

— Ses hardes[9] et son sac sont avec lui ? il n'a pas quitté son pourpoint ?

— Tout cela, au contraire, est en bas dans la cuisine. Mais puisqu'il vous gêne, ce jeune fou…

— Sans doute. Il cause dans votre hôtellerie un scandale auquel d'honnêtes gens ne sauraient résister. Montez chez vous, faites mon compte et avertissez mon laquais.

« Ouais ! se dit l'hôte, aurait-il peur du petit garçon ? »

Mais un coup d'œil impératif de l'inconnu vint l'arrêter court. Il salua humblement et sortit.

« Il ne faut pas que Milady soit aperçue de ce drôle, continua l'étranger : elle ne doit pas tarder à passer ; déjà même elle est en retard. Décidément, mieux vaut que je monte à cheval et que j'aille au-devant d'elle… Si seulement je pouvais savoir ce que contient cette lettre adressée à Tréville ! »

Et l'inconnu, tout en marmottant, se dirigea vers la cuisine.

---

9. Vêtements.

15

Pendant ce temps, l'hôte était remonté chez sa femme et avait trouvé d'Artagnan maître enfin de ses esprits. Alors, tout en lui faisant comprendre que la police pourrait bien lui faire un mauvais parti pour avoir été chercher querelle à un grand seigneur, il le détermina, malgré sa faiblesse, à se lever et à continuer son chemin. D'Artagnan, à moitié abasourdi, sans pourpoint et la tête tout emmaillotée de linges, se leva donc et, poussé par l'hôte, commença de descendre ; mais, en arrivant à la cuisine, la première chose qu'il aperçut fut son provocateur qui causait tranquillement au marchepied d'un lourd carrosse attelé de deux gros chevaux normands.

Son interlocutrice, dont la tête apparaissait encadrée par la portière, était une femme de vingt à vingt-deux ans. C'était une pâle et blonde personne, aux longs cheveux bouclés tombant sur ses épaules, aux grands yeux bleus languissants, aux lèvres rasées et aux mains d'albâtre[10]. Elle causait très vivement avec l'inconnu.

— Ainsi, Son Éminence m'ordonne…, disait la dame.

— De retourner à l'instant même en Angleterre, et de la prévenir directement si le duc quittait Londres.

— Et quant à mes autres instructions ? demanda la belle voyageuse.

— Elles sont renfermées dans cette boîte, que vous n'ouvrirez que de l'autre côté de la Manche.

— Très bien ; et vous, que faites-vous ?

---

10. Très blanches ; l'albâtre avec une pierre.

— Moi, je retourne à Paris.

— Sans châtier cet insolent petit garçon ? demanda la dame.

L'inconnu allait répondre : mais, au moment où il ouvrait la bouche, d'Artagnan, qui avait tout entendu, s'élança sur le seuil de la porte.

— C'est cet insolent petit garçon qui châtie les autres, s'écria-t-il, et j'espère bien que cette fois-ci celui qu'il doit châtier ne lui échappera pas comme la première.

— Ne lui échappera pas ? reprit l'inconnu en fronçant le sourcil.

— Non, devant une femme, vous n'oseriez pas fuir, je présume.

— Songez, s'écria Milady en voyant le gentilhomme porter la main à son épée, songez que le moindre retard peut tout perdre.

— Vous avez raison, s'écria le gentilhomme ; partez donc de votre côté, moi, je pars du mien.

Et, saluant la dame d'un signe de tête, il s'élança sur son cheval, tandis que le cocher du carrosse fouettait vigoureusement son attelage. Les deux interlocuteurs partirent donc au galop, s'éloignant chacun par un côté opposé de la rue.

— Ah ! lâche, ah ! misérable, ah ! faux gentilhomme ! cria d'Artagnan.

Mais le blessé était trop faible encore pour supporter une pareille secousse. À peine eut-il fait dix pas, que ses oreilles tintèrent, qu'un éblouissement le prit, qu'un nuage de sang passa sur ses yeux et qu'il tomba au milieu de la rue, en criant encore :

— Lâche ! lâche ! lâche !

— Il est en effet bien lâche, murmura l'hôte en s'approchant de d'Artagnan, et essayant par cette flatterie de se raccommoder avec le pauvre garçon, comme le héron de la fable avec son limaçon du soir[11].

— Oui, bien lâche, murmura d'Artagnan ; mais elle, bien belle !

— Qui, elle ? demanda l'hôte.

— Milady, balbutia d'Artagnan.

Et il s'évanouit une seconde fois.

— C'est égal, dit l'hôte, j'en perds deux, mais il me reste celui-là, que je suis sûr de conserver au moins quelques jours.

L'hôte avait compté sur onze jours de maladie à un écu par jour ; mais il avait compté sans son voyageur. Le lendemain, dès cinq heures du matin, d'Artagnan se leva, descendit lui-même à la cuisine, demanda outre quelques autres ingrédients dont la liste n'est pas parvenue jusqu'à nous, du vin, de l'huile, du romarin, et, la recette de sa mère à la main, se composa un baume dont il oignit ses nombreuses blessures, renouvelant ses compresses lui-même et ne voulant admettre l'adjonction d'aucun médecin. Grâce sans doute à l'efficacité du baume de Bohême, et peut-être aussi grâce à l'absence de tout docteur, d'Artagnan se trouva sur pied dès le soir même, et à peu près guéri le lendemain.

Mais, au moment de payer ce romarin, cette huile et ce vin, seule dépense du maître qui avait gardé une diète absolue, d'Artagnan ne trouva dans sa poche

---

11. Allusion aux *Fables* de la Fontaine, « Le Héron, la Fille » (livre VII, fable 4).

que sa petite bourse de velours râpé ainsi que les onze écus qu'elle contenait ; mais quant à la lettre adressée à M. de Tréville, elle avait disparu.

— Ma lettre de recommandation ! s'écria d'Artagnan, ma lettre de recommandation, sangdieu !

— Est-ce que cette lettre renfermait quelque chose de précieux ? demanda l'hôte au bout d'un instant d'investigations inutiles.

— Sandis[12] ! je le crois bien ! s'écria le Gascon qui comptait sur cette lettre pour faire son chemin à la cour ; elle contenait ma fortune.

— Diable ! fit l'hôte tout à fait désespéré.

Un trait de lumière frappa tout à coup l'esprit de l'hôte, qui se donnait au diable en ne trouvant rien.

— Cette lettre n'est point perdue, s'écria-t-il.

— Ah ! fit d'Artagnan.

— Non ; elle vous a été prise.

— Prise ! et par qui ?

— Par le gentilhomme d'hier. Il est descendu à la cuisine, où était votre pourpoint. Il y est resté seul. Je gagerais que c'est lui qui l'a volée.

— Vous croyez ? répondit d'Artagnan peu convaincu.

— Je vous dis que j'en suis sûr, continua l'hôte lorsque je lui ai annoncé que Votre Seigneurie était le protégé de M. de Tréville, et que vous aviez même une lettre pour cet illustre gentilhomme, il a paru fort inquiet, m'a demandé où était cette lettre, et est des-

_____

12. Juron gascon formé sur « sangdieu ».

cendu immédiatement à la cuisine où il savait qu'était votre pourpoint.

— Alors c'est mon voleur, répondit d'Artagnan ; je m'en plaindrai à M. de Tréville, et M. de Tréville s'en plaindra au roi.

Puis il tira majestueusement deux écus de sa poche, les donna à l'hôte, qui l'accompagna, le chapeau à la main, jusqu'à la porte, remonta sur son cheval jaune, qui le conduisit sans autre incident jusqu'à la porte Saint-Antoine à Paris, où son propriétaire le vendit trois écus, ce qui était fort bien payé, attendu que d'Artagnan l'avait fort surmené pendant la dernière étape.

D'Artagnan entra donc dans Paris à pied, portant son petit paquet sous son bras, et marcha tant qu'il trouvât à louer une chambre qui convînt à l'exiguïté de ses ressources. Cette chambre fut une espèce de mansarde, sise rue des Fossoyeurs, près du Luxembourg.

Aussitôt le denier à Dieu[13] donné, d'Artagnan prit possession de son logement, passa le reste de la journée à coudre à son pourpoint et à ses chausses des passementeries[14] que sa mère avait détachées d'un pourpoint presque neuf de M. d'Artagnan père, et qu'elle lui avait données en cachette ; puis il alla quai de la Ferraille, faire remettre une lame à son épée ; puis il revint au Louvre s'informer, au premier mousquetaire qu'il rencontra, de la situation de l'hôtel de M. de Tréville, lequel était situé rue du Vieux-Colom-

13. L'acompte.
14. Tissus décoratifs.

bier, c'est-à-dire justement dans le voisinage de la chambre arrêtée par d'Artagnan : circonstance qui lui parut d'un heureux augure pour le succès de son voyage.

Après quoi, content de la façon dont il s'était conduit à Meung, sans remords dans le passé, confiant dans le présent et plein d'espérance dans l'avenir, il se coucha et s'endormit du sommeil du brave.

Ce sommeil, tout provincial encore, le conduisit jusqu'à neuf heures du matin, heure à laquelle il se leva pour se rendre chez ce fameux M. de Tréville, le troisième personnage du royaume d'après l'estimation paternelle.

2

L'antichambre de M. de Tréville

M. de Troisvilles, comme s'appelait encore sa famille en Gascogne, ou M. de Tréville, comme il avait fini par s'appeler lui-même à Paris, avait réellement commencé comme d'Artagnan, c'est-à-dire sans un sou vaillant, mais avec ce fonds d'audace, d'esprit et d'entendement[1] qui fait que le plus pauvre gentillâtre[2] gascon reçoit souvent plus en ses espérances de l'héritage paternel que le plus riche gentilhomme périgourdin ou berrichon ne reçoit en réalité. Sa bravoure insolente, son bonheur[3] plus insolent encore dans un temps où les coups pleuvaient comme grêle, l'avaient hissé au sommet de cette échelle difficile qu'on

---

1. Intelligence, bon jugement.
2. Gentilhomme pauvre.
3. Sa chance.

22

appelle la faveur de cour, et dont il avait escaladé quatre à quatre les échelons.

La cour de son hôtel ressemblait à un camp, et cela dès six heures du matin en été et dès huit heures en hiver. Cinquante à soixante mousquetaires, qui semblaient s'y relayer pour présenter un nombre toujours imposant, s'y promenaient sans cesse, armés en guerre et prêts à tout.

Le long d'un de ses grands escaliers sur l'emplacement desquels notre civilisation bâtirait une maison tout entière, montaient et descendaient les solliciteurs de Paris qui couraient après une faveur quelconque, les gentilshommes de province avides d'être enrôlés, et les laquais chamarrés de toutes couleurs, qui venaient apporter à M. de Tréville les messages de leurs maîtres. Dans l'antichambre, sur de longues banquettes circulaires, reposaient les élus, c'est-à-dire ceux qui étaient convoqués. Un bourdonnement durait là depuis le matin jusqu'au soir, tandis que M. de Tréville, dans son cabinet contigu à cette antichambre, recevait les visites, écoutait les plaintes, donnait ses ordres et, comme le roi à son balcon du Louvre, n'avait qu'à se mettre à sa fenêtre pour passer la revue des hommes et des armes.

Le jour où d'Artagnan se présenta, l'assemblée était imposante, surtout pour un provincial arrivant de sa province : il est vrai que ce provincial était Gascon, et que surtout à cette époque les compatriotes de d'Artagnan avaient la réputation de ne point facilement se laisser intimider.

Ce fut donc au milieu de cette cohue et de ce désordre que notre jeune homme s'avança, le cœur palpitant, rangeant sa longue rapière[4] le long de ses jambes maigres, et tenant une main au rebord de son feutre avec ce demi-sourire du provincial embarrassé qui veut faire bonne contenance.

Arrivé à l'escalier, ce fut pis encore : il y avait sur les premières marches quatre mousquetaires qui se divertissaient à l'exercice suivant, tandis que dix ou douze de leurs camarades attendaient sur le palier que leur tour vînt de prendre place à la partie.

Un d'eux, placé sur le degré supérieur, l'épée nue à la main, empêchait, ou du moins s'efforçait d'empêcher, les trois autres de monter.

Sur le palier on ne se battait plus, on racontait des histoires de femmes, et dans l'antichambre des histoires de cour. Sur le palier d'Artagnan rougit ; dans l'antichambre, il frissonna. Là à son grand étonnement, d'Artagnan entendait critiquer tout haut la politique qui faisait trembler l'Europe et la vie privée du cardinal, que tant de hauts et puissants seigneurs avaient été punis d'avoir tenté d'approfondir.

Aussi, comme on s'en doute sans que je le dise, d'Artagnan n'osait se livrer à la conversation ; seulement il regardait de tous ses yeux, écoutant de toutes ses oreilles, tendant avidement ses cinq sens pour ne rien perdre, et malgré sa confiance dans les recommandations paternelles, il se sentait porté par ses goûts et entraîné par ses instincts à louer plutôt qu'à blâmer les choses inouïes qui se passaient là.

---

4. Épée longue et affilée (arme de duel).

Cependant, comme il était absolument étranger à la foule des courtisans de M. de Tréville, et que c'était la première fois qu'on l'apercevait en ce lieu, on vint lui demander ce qu'il désirait. À cette demande, d'Artagnan se nomma fort humblement, s'appuya du titre de compatriote, et pria le valet de chambre qui était venu lui faire cette question de demander pour lui à M. de Tréville un moment d'audience, demande que celui-ci promit d'un ton protecteur de transmettre en temps et lieu.

D'Artagnan, un peu revenu de sa surprise première, eut donc le loisir d'étudier un peu les costumes et les physionomies.

Au centre du groupe le plus animé était un mousquetaire de grande taille, d'une figure hautaine et d'une bizarrerie de costume qui attirait sur lui l'attention générale. Il ne portait pas, pour le moment, la casaque d'uniforme, mais un justaucorps[5] bleu de ciel, tant soit peu fané et râpé, et sur cet habit un baudrier magnifique, en broderies d'or, et qui reluisait comme les écailles dont l'eau se couvre au grand soleil. Un manteau long de velours cramoisi tombait avec grâce sur ses épaules, découvrant par-devant seulement le splendide baudrier, auquel pendait une gigantesque rapière.

Ce mousquetaire venait de descendre de garde à l'instant même, se plaignait d'être enrhumé et toussait de temps en temps avec affectation. Aussi avait-il pris le manteau, à ce qu'il disait autour de lui, et tandis

---

5. Sorte de pourpoint.

qu'il parlait du haut de sa tête, en frisant dédaigneusement sa moustache, on admirait avec enthousiasme le baudrier brodé, et d'Artagnan plus que tout autre.

— Que voulez-vous, disait le mousquetaire, la mode en vient ; c'est une folie, je le sais bien, mais c'est la mode. D'ailleurs, il faut bien employer à quelque chose l'argent de sa légitime[6].

— Ah ! *Porthos* ! s'écria un des assistants, n'essaie pas de nous faire croire que ce baudrier te vient de la générosité paternelle : il t'aura été donné par la dame voilée avec laquelle je t'ai rencontré l'autre dimanche vers la porte Saint-Honoré.

— Non, sur mon honneur et foi de gentilhomme, je l'ai acheté moi-même, et de mes propres deniers, répondit celui qu'on venait de désigner sous le nom de Porthos.

L'admiration redoubla, quoique le doute continuât d'exister.

— N'est-ce pas, *Aramis* ? dit Porthos se tournant vers un autre mousquetaire.

Cet autre mousquetaire formait un contraste parfait avec celui qui l'interrogeait et qui venait de le désigner sous le nom d'Aramis : c'était un jeune homme de vingt-deux à vingt-trois ans à peine, à la figure naïve et doucereuse, à l'œil noir et doux et aux joues roses et veloutées comme une pêche en automne ; sa moustache fine dessinait sur sa lèvre supérieure une ligne d'une rectitude parfaite. Il répondit par un signe de tête affirmatif à l'interpellation de son ami.

---

6. Part d'héritage.

Cette affirmation parut avoir fixé tous les doutes à l'endroit du baudrier ; on continua donc de l'admirer, mais on n'en parla plus ; et par un de ces revirements rapides de la pensée, la conversation passa tout à coup à un autre sujet.

— Que pensez-vous de ce que raconte l'écuyer de Chalais[7] ? demanda un autre mousquetaire sans interpeller directement personne, mais s'adressant au contraire à tout le monde.

— Et que raconta-t-il ? demanda Porthos d'un ton suffisant.

— Il raconte qu'il a trouvé à Bruxelles Rochefort, l'âme damnée du cardinal, déguisé en capucin[8] ; ce Rochefort maudit, grâce à ce déguisement, avait joué M. de Laigues comme un niais qu'il est.

— Ce Rochefort, s'écria Porthos, si j'étais l'écuyer du pauvre Chalais, passerait avec moi un vilain moment.

— Et vous, vous passeriez un triste quart d'heure avec le duc Rouge, reprit Aramis.

— Ah ! le duc Rouge ! bravo, bravo, le duc Rouge ! répondit Porthos en battant des mains et en approuvant de la tête. Le « duc Rouge » est charmant. Je répandrai le mot, mon cher, soyez tranquille. A-t-il de l'esprit, cet Aramis ! Quel malheur que vous n'ayez pas pu suivre votre vocation, mon cher ! quel délicieux abbé vous eussiez fait !

---

7. Le comte de Chalais fut exécuté le 19 août 1626 pour complot contre le roi.

8. Moine.

— Oh ! ce n'est qu'un retard momentané, reprit Aramis ; un jour, je le serai. Vous savez bien, Porthos, que je continue d'étudier la théologie pour cela.

— Il n'attend qu'une chose pour le décider tout à fait et pour reprendre sa soutane, qui est pendue derrière son uniforme, reprit un mousquetaire.

— Et quelle chose attend-il ? demanda un autre.

— Il attend que la reine ait donné un héritier à la couronne de France.

— Ne plaisantons pas là-dessus, Messieurs, dit Porthos ; grâce à Dieu, la reine est encore d'âge à le donner.

— On dit que M. de Buckingham est en France, reprit Aramis avec un rire narquois qui donnait à cette phrase, si simple en apparence, une signification passablement scandaleuse.

— Aramis, mon ami, pour cette fois vous avez tort, interrompit Porthos, et votre manie d'esprit vous entraîne toujours au-delà des bornes ; si M. de Tréville vous entendait, vous seriez mal venu de parler ainsi.

— Allez-vous me faire la leçon, Porthos ? s'écria Aramis, dans l'œil doux duquel on vit passer comme un éclair.

— Mon cher, soyez mousquetaire ou abbé. Soyez l'un ou l'autre, mais pas l'un et l'autre, reprit Porthos. Tenez, Athos vous l'a dit encore l'autre jour : vous mangez à tous les râteliers. Ah ! ne nous fâchons pas, je vous prie, ce serait inutile, vous savez bien ce qui est convenu entre vous, Athos et moi. Vous allez chez Mme d'Aiguillon, et vous lui faites la cour ; vous allez chez Mme de Bois-Tracy, la cousine de Mme de Chevreuse, et vous passez pour être fort en avant dans les bonnes grâces de la dame. Oh ! mon Dieu, n'avouez pas votre bonheur, on ne vous demande pas votre secret, on connaît votre discrétion. Mais puisque vous possédez cette vertu, que diable ! faites-en usage à l'endroit de Sa Majesté. S'occupe qui voudra et comme on voudra du roi et du cardinal ; mais la reine est sacrée, et si l'on en parle, que ce soit en bien.

— Eh ! Messieurs ! Messieurs ! s'écria-t-on autour d'eux.

— M. de Tréville attend M. d'Artagnan, interrompit le laquais en ouvrant la porte du cabinet.

À cette annonce, pendant laquelle la porte demeurait ouverte, chacun se tut, et au milieu du silence général le jeune Gascon traversa l'antichambre dans une partie de sa longueur et entra chez le capitaine des mousquetaires, se félicitant de tout son cœur d'échapper aussi à point à la fin de cette bizarre querelle.

3

L'audience

M. de Tréville était pour le moment de fort méchante humeur ; néanmoins il salua poliment le jeune homme, qui s'inclina jusqu'à terre, et il sourit en recevant son compliment. Mais, se rapprochant presque aussitôt de l'antichambre et faisant à d'Artagnan un signe de la main, comme pour lui demander la permission d'en finir avec les autres avant de commencer avec lui, il appela trois fois, en grossissant la voix à chaque fois.

— Athos ! Porthos ! Aramis !

Les deux mousquetaires avec lesquels nous avons déjà fait connaissance quittèrent aussitôt les groupes dont ils faisaient partie et s'avancèrent vers le cabinet, dont la porte se referma derrière eux dès qu'ils en eurent franchi le seuil.

— Savez-vous ce que m'a dit le roi, cela pas plus tard qu'hier au soir ? le savez-vous, Messieurs ?

— Non, répondirent après un instant de silence les deux mousquetaires ; non, Monsieur, nous l'ignorons.

— Il m'a dit qu'il recruterait désormais ses mousquetaires parmi les gardes de M. le cardinal !

— Parmi les gardes de M. le cardinal ! et pourquoi cela ? demanda vivement Porthos.

— Parce qu'il voyait bien que sa piquette[1] avait besoin d'être ragaillardie par un mélange de bon vin.

Les deux mousquetaires rougirent jusqu'au blanc des yeux. D'Artagnan ne savait où il en était et eût voulu être à cent pieds sous terre.

— Oui, oui, continua M. de Tréville en s'animant, oui, et Sa Majesté avait raison, car, sur mon honneur, il est vrai que les mousquetaires font triste figure à la cour. M. le cardinal racontait hier au jeu du roi qu'avant-hier ces damnés mousquetaires s'étaient attardés rue Férou, dans un cabaret, et qu'une ronde de ses gardes avait été forcée d'arrêter les perturbateurs. Morbleu ! vous devez en savoir quelque chose ! Vous en étiez, vous autres, ne vous en défendez pas, on vous a reconnus, et le cardinal vous a nommés. Voilà bien ma faute, oui, ma faute, puisque c'est moi qui choisis mes hommes. Et Athos ! je ne vois pas Athos. Où est-il ?

— Monsieur, répondit tristement Aramis, il est malade, fort malade.

— Malade, fort malade, dites-vous ? et de quelle maladie ?

---

1. Vin de mauvaise qualité.

— On craint que ce ne soit de la petite vérole, Monsieur, répondit Porthos voulant mêler à son tour un mot à la conversation, et ce qui serait fâcheux en ce que très certainement cela gâterait son visage.

— De la petite vérole ! Voilà encore une glorieuse histoire que vous me contez là, Porthos !... Malade de la petite vérole, à son âge ?... Non pas !... mais blessé sans doute, tué peut-être... Ah ! si je le savais !... Sangdieu ! Messieurs les mousquetaires, je n'entends[2] pas que l'on hante ainsi les mauvais lieux, qu'on se prenne de querelle dans la rue et qu'on joue de l'épée dans les carrefours. Je ne veux pas enfin qu'on prête à rire aux gardes de M. le cardinal, qui sont de braves gens, qui ne se mettent jamais dans le cas d'être arrêtés, et qui d'ailleurs ne se laisseraient pas arrêter, eux !... j'en suis sûr... Ils aimeraient mieux mourir sur la place que de faire un pas en arrière... Se sauver, détaler, fuir, c'est bon pour les mousquetaires du roi, cela !

Porthos et Aramis frémissaient de rage. Ils auraient volontiers étranglé M. de Tréville, si au fond de tout cela ils n'avaient pas senti que c'était le grand amour qu'il leur portait qui le faisait leur parler ainsi. Ils frappaient le tapis du pied, se mordaient les lèvres jusqu'au sang et serraient de toute leur force la garde de leur épée.

Au même instant la portière se souleva, et une tête noble et belle, mais affreusement pâle, parut sous la frange.

---

2. Je ne veux pas.

— Athos ! s'écrièrent les deux mousquetaires.

— Athos ! répéta M. de Tréville lui-même.

— Vous m'avez mandé, Monsieur, dit Athos à M. de Tréville d'une voix affaiblie mais parfaitement calme, vous m'avez demandé, à ce que m'ont dit nos camarades, et je m'empresse de me rendre à vos ordres ; voilà, Monsieur, que me voulez-vous ?

— J'étais en train de dire à ces Messieurs, ajouta-t-il, que je défends à mes mousquetaires d'exposer leurs jours sans nécessité, car les braves gens sont bien chers au roi, et le roi sait que ses mousquetaires sont les plus braves gens de la terre. Votre main, Athos.

La porte était restée entrouverte, tant l'arrivée d'Athos, dont, malgré le secret gardé, la blessure était connue de tous, avait produit de sensation. Sans doute, M. Tréville allait réprimer par de vives paroles cette infraction aux lois de l'étiquette[3], lorsqu'il sentit tout à coup la main d'Athos se crisper dans la sienne, et qu'en portant les yeux sur lui il s'aperçut qu'il allait s'évanouir. Au même instant, Athos, qui avait rassemblé toutes ses forces pour lutter contre la douleur, vaincu enfin par elle, tomba sur le parquet comme s'il fût mort.

— Un chirurgien ! cria M. de Tréville. Le mien, celui du roi, le meilleur ! Un chirurgien ! ou, sangdieu ! mon brave Athos va trépasser.

Aux cris de M. de Tréville, tout le monde se précipita dans son cabinet sans qu'il songeât à en fermer

---

3. La bienséance, le cérémonial de cour.

la porte à personne, chacun s'empressant autour du blessé. Mais tout cet empressement eût été inutile, si le docteur demandé ne se fût trouvé dans l'hôtel même ; il fendit la foule, s'approcha d'Athos toujours évanoui, et, comme tout ce bruit et tout ce mouvement le gênait fort, il demanda comme première chose et comme la plus urgente que le mousquetaire fût emporté dans une chambre voisine. Aussitôt M. de Tréville ouvrit une porte et montra le chemin à Porthos et à Aramis, qui emportèrent leur camarade dans leurs bras. Derrière ce groupe marchait le chirurgien, et derrière le chirurgien, la porte se referma.

Un instant après, Porthos et Aramis rentrèrent ; le chirurgien et M. de Tréville seuls étaient restés près du blessé.

Enfin M. de Tréville rentra à son tour. Le blessé avait repris connaissance ; le chirurgien déclarait que l'état du mousquetaire n'avait rien qui pût inquiéter ses amis, sa faiblesse ayant été purement et simplement occasionnée par la perte de son sang.

Puis M. de Tréville fit un signe de la main, et chacun se retira, excepté d'Artagnan, qui n'oubliait point qu'il avait audience et qui, avec sa ténacité de Gascon, était demeuré à la même place.

Lorsque tout le monde fut sorti et que la porte fut refermée, M. de Tréville se retourna et se trouva seul avec le jeune homme.

L'événement qui venait d'arriver lui avait quelque peu fait perdre le fil de ses idées. Il s'informa de ce que lui voulait l'obstiné solliciteur. D'Artagnan alors se nomma, et M. de Tréville, se rappelant d'un seul coup tous ses souvenirs du présent et du passé, se trouva au courant de sa situation.

— J'ai beaucoup aimé Monsieur votre père, dit-il. Que puis-je faire pour son fils ? hâtez-vous, mon temps n'est pas à moi.

— Monsieur, dit d'Artagnan, en quittant Tarbes et en venant ici, je me proposais de vous demander, en souvenir de cette amitié dont vous n'avez pas perdu mémoire, une casaque de mousquetaire ; mais, après tout ce que je vois depuis deux heures, je comprends qu'une telle faveur serait énorme, et je tremble de ne point la mériter.

— C'est une faveur en effet, jeune homme, répondit M. de Tréville ; mais elle peut ne pas être si fort au-dessus de vous que vous le croyez ou que vous avez l'air de le croire. Toutefois une décision de Sa Majesté a prévu ce cas, et je vous annonce avec regret qu'on ne reçoit personne mousquetaire avant l'épreuve préa-lable de quelques campagnes, de certaines actions d'éclat, ou d'un service de deux ans dans quelque autre régiment moins favorisé que le nôtre.

D'Artagnan s'inclina sans rien répondre. Il se sen-tait encore plus avide d'endosser l'uniforme de mous-quetaire depuis qu'il y avait de si grandes difficultés à l'obtenir.

— Mais, continua Tréville en fixant sur son com-patriote un regard si perçant qu'on eût dit qu'il vou-lait lire jusqu'au fond de son cœur, mais, en faveur de votre père, mon ancien compagnon, comme je vous l'ai dit, je veux faire quelque chose pour vous, jeune homme. J'écrirai dès aujourd'hui une lettre au directeur de l'Académie[4] royale, et dès demain il vous recevra sans rétribution aucune. Vous apprendrez le manège du cheval, l'escrime et la danse ; vous y ferez de bonnes connaissances, et de temps en temps vous reviendrez me voir pour me dire où vous en êtes et si je puis faire quelque chose pour vous.

D'Artagnan, tout étranger qu'il fût encore aux façons de cour, s'aperçut de la froideur de cet accueil.

— Hélas, Monsieur, dit-il, je vois combien la lettre de recommandation que mon père m'avait remise pour vous me fait défaut aujourd'hui !

— En effet, répondit M. de Tréville, je m'étonne que vous ayez entrepris un aussi long voyage sans ce viatique[5] obligé, notre seule ressource à nous autres Béarnais.

— Je l'avais, Monsieur, et, Dieu merci, en bonne forme, s'écria d'Artagnan ; mais on me l'a perfidement dérobé.

Et il raconta toute la scène de Meung, dépeignit le gentilhomme inconnu dans ses moindres détails, le tout avec une chaleur, une vérité qui charmèrent M. de Tréville.

— Dites-moi, ce gentilhomme n'avait-il pas une légère cicatrice à la tempe ?

— Oui, c'est cela. Comment se fait-il, Monsieur, que vous connaissiez cet homme ?

— Il attendait une femme ? continua Tréville.

---

4. Lieu où les jeunes gens apprenaient l'équitation et le métier des armes.
5. Argent et provision de voyage.

— Il est du moins parti après avoir causé un instant avec celle qu'il attendait.

— Vous ne savez pas quel était le sujet de leur conversation ?

— Il lui remettait une boîte, lui disait que cette boîte contenait ses instructions, et lui recommandait de ne l'ouvrir qu'à Londres.

— Cette femme était Anglaise ?

— Il l'appelait Milady.

— C'est lui ! murmura Tréville, c'est lui ! je le croyais encore à Bruxelles !

— Oh ! Monsieur, si vous savez quel est cet homme, s'écria d'Artagnan, indiquez-moi qui il est et d'où il est, puis je vous tiens quitte de tout, même de votre promesse de me faire entrer dans les mousquetaires ; car avant toute chose je veux me venger.

— Vous êtes un honnête garçon, mais dans ce moment je ne puis faire que ce que je vous ai offert tout à l'heure. Mon hôtel vous sera toujours ouvert. Plus tard, pouvant me demander à toute heure et par conséquent saisir toutes les occasions, vous obtiendrez probablement ce que vous désirez obtenir.

— C'est-à-dire, Monsieur, reprit d'Artagnan, que vous attendez que je m'en sois rendu digne. Eh bien ! soyez tranquille, ajouta-t-il avec la familiarité du Gascon, vous n'attendrez pas longtemps.

Et il salua pour se retirer, comme si désormais le reste le regardait.

— Mais attendez donc, dit M. de Tréville en l'arrêtant, je vous ai promis une lettre pour le directeur de l'Académie. Êtes-vous trop fier pour l'accepter, mon jeune gentilhomme ?

— Non, Monsieur, dit d'Artagnan ; je vous réponds qu'il n'en sera pas de celle-ci comme de l'autre. Je la garderai si bien qu'elle arrivera, je vous le jure, à son adresse, et malheur à celui qui tenterait de me l'enlever !

M. de Tréville sourit à cette fanfaronnade, et, laissant son jeune compatriote dans l'embrasure de la fenêtre où ils se trouvaient et où ils avaient causé ensemble, il alla s'asseoir à une table et se mit à écrire la lettre de recommandation promise. Pendant ce temps, d'Artagnan, qui n'avait rien de mieux à faire, se mit à battre une marche contre les carreaux[6], regardant les mousquetaires qui s'en allaient les uns après les autres, et les suivant du regard jusqu'à ce qu'ils eussent disparu au tournant de la rue.

M. de Tréville, après avoir écrit la lettre, la cacheta et, se levant, s'approcha du jeune homme pour la lui donner ; mais au moment même où d'Artagnan étendait la main pour la recevoir, M. de Tréville fut bien étonné de voir son protégé faire un soubresaut, rougir de colère et s'élancer hors du cabinet en criant :

— Ah ! sangdieu ! il ne m'échappera pas, cette fois.

— Et qui cela ? demanda M. de Tréville.

— Lui, mon voleur ! répondit d'Artagnan. Ah ! traître !

Et il disparut.

— Diable de fou ! murmura M. de Tréville.

_____

6. Il scandait une marche militaire avec ses doigts contre la vitre.

4

L'épaule d'Athos,
le baudrier de Porthos
et le mouchoir d'Aramis

D'Artagnan, furieux, avait traversé l'antichambre en trois bonds et s'élançait sur l'escalier, dont il comptait descendre les degrés quatre à quatre, lorsque, emporté par sa course, il alla donner tête baissée dans un mousquetaire qui sortait de chez M. de Tréville par une porte de dégagement, et, le heurtant du front à l'épaule, lui fit pousser un cri ou plutôt un hurlement.

— Excusez-moi, dit d'Artagnan, essayant de reprendre sa course, excusez-moi, mais je suis pressé.

À peine avait-il descendu le premier escalier, qu'un poignet de fer le saisit par son écharpe et l'arrêta.

— Vous êtes pressé ! s'écria le mousquetaire, pâle comme un linceul ; sous ce prétexte, vous me heurtez, vous dites : « Excusez-moi », et vous croyez que cela suffit ? Pas tout à fait, mon jeune homme.

— Ma foi, répliqua d'Artagnan, qui reconnut Athos, lequel, après le pansement opéré par le docteur, regagnait son appartement, ma foi, je ne l'ai pas fait exprès, j'ai dit : « Excusez-moi. » Il me semble donc que c'est assez.

— Monsieur, dit Athos en le lâchant, vous n'êtes pas poli. On voit que vous venez de loin.

D'Artagnan avait déjà enjambé trois ou quatre degrés, mais à la remarque d'Athos il s'arrêta court.

— Morbleu, Monsieur ! dit-il, de si loin que je vienne, ce n'est pas vous qui me donnerez une leçon de belles manières, je vous préviens.

— Peut-être, dit Athos.

— Ah ! si je n'étais pas si pressé, s'écria d'Artagnan, et si je ne courais pas après quelqu'un…

— Monsieur l'homme pressé, vous me trouverez sans courir, moi, entendez-vous ?

— Et où cela, s'il vous plaît ?

— Près des Carmes-Deschaux[1].

— À quelle heure ?

— Vers midi.

— Vers midi, c'est bien, j'y serai.

Et il se mit à courir comme si le diable l'emportait, espérant retrouver encore son inconnu, que son pas tranquille ne devait pas avoir conduit bien loin.

Mais, à la porte de la rue, causait Porthos avec un soldat aux gardes. Entre les deux causeurs, il y avait juste l'espace d'un homme. D'Artagnan crut que cet espace lui suffirait, et il s'élança pour passer comme

---

1. Ou Carmes-Déchaussés, couvent près duquel on se battait en duel.

une flèche entre eux deux. Mais d'Artagnan avait compté sans le vent. Comme il allait passer, le vent s'engouffra dans le long manteau de Porthos, et d'Artagnan vint donner droit dans le manteau. Sans doute, Porthos avait des raisons de ne pas abandonner cette partie essentielle de son vêtement, car, au lieu de laisser aller le pan qu'il tenait, il tira à lui, de sorte que d'Artagnan s'enroula dans le velours par un mouvement de rotation qu'explique la résistance de l'obstiné Porthos.

D'Artagnan, entendant jurer le mousquetaire, voulut sortir de dessous le manteau qui l'aveuglait, et chercha son chemin dans le pli. Il redoutait surtout d'avoir porté atteinte à la fraîcheur du magnifique baudrier que nous connaissons.

Hélas ! comme la plupart des choses de ce monde qui n'ont pour elles que l'apparence, le baudrier était d'or par-devant et de simple buffle par-derrière. Porthos, en vrai glorieux[2] qu'il était, ne pouvant avoir un baudrier d'or tout entier, en avait au moins la moitié : on comprenait dès lors la nécessité du rhume et l'urgence du manteau.

— Vertubleu ! cria Porthos faisant tous ses efforts pour se débarrasser de d'Artagnan qui lui grouillait dans le dos, vous êtes donc enragé de vous jeter comme cela sur les gens !

— Excusez-moi, dit d'Artagnan reparaissant sous l'épaule du géant, mais je suis très pressé, je cours après quelqu'un, et…

---

2. Vaniteux.

— Est-ce que vous oubliez vos yeux quand vous courez, par hasard ? demanda Porthos.

— Non, répondit d'Artagnan piqué, non, et grâce à mes yeux je vois même ce que ne voient pas les autres.

Et le jeune homme, enchanté de son espièglerie, s'éloigna en riant à gorge déployée.

Porthos écuma de rage et fit un mouvement pour se précipiter sur d'Artagnan.

— Plus tard, plus tard, lui cria celui-ci, quand vous n'aurez plus votre manteau.

— À une heure donc, derrière le Luxembourg.

— Très bien, à une heure, répondit d'Artagnan en tournant l'angle de la rue.

Mais ni dans la rue qu'il venait de parcourir, ni dans celle qu'il embrassait maintenant du regard, il ne vit personne. Si doucement qu'eût marché l'inconnu, il avait gagné du chemin ; peut-être aussi était-il entré dans quelque maison. D'Artagnan s'informa de lui à tous ceux qu'il rencontra, descendit jusqu'au bac, remonta par la rue de Seine et la Croix-Rouge ; mais rien, absolument rien.

D'Artagnan, tout en marchant, était arrivé à quelques pas de l'hôtel d'Aiguillon, et devant cet hôtel il avait aperçu Aramis causant gaiement avec trois gentilshommes des gardes du roi. De son côté, Aramis aperçut d'Artagnan ; mais comme il n'oubliait point que c'était devant ce jeune homme que M. de Tréville s'était si fort emporté le matin, il fit semblant de ne pas le voir.

D'Artagnan s'approcha des quatre jeunes gens en leur faisant un grand salut accompagné du plus gracieux sourire. Aramis inclina légèrement la tête, mais ne sourit point. Tous quatre, au reste, interrompirent à l'instant même leur conversation.

D'Artagnan n'était pas assez niais pour ne point s'apercevoir qu'il était de trop ; mais il n'était pas encore assez rompu[3] aux façons du beau monde pour se tirer galamment d'une situation fausse comme l'est, en général, celle d'un homme qui est venu se mêler à des gens qu'il connaît à peine et à une conversation qui ne le regarde pas. Il cherchait donc en lui-même un moyen de faire sa retraite le moins gauchement possible, lorsqu'il remarqua qu'Aramis avait laissé tomber son mouchoir et, par mégarde sans doute, avait mis le pied dessus ; le moment lui parut arrivé de réparer son inconvenance : il se baissa, et de l'air le plus gracieux qu'il pût trouver, il tira le mouchoir de dessous le pied du mousquetaire, quelques efforts que celui-ci fît pour le retenir, et lui dit en le lui remettant :

— Je crois, Monsieur, que voici un mouchoir que vous seriez fâché de perdre.

Le mouchoir était en effet richement brodé et portait une couronne et des armes[4] à l'un de ses coins. Aramis rougit excessivement et arracha plutôt qu'il ne prit le mouchoir des mains du Gascon.

— Ah ! ah ! s'écria un des gardes, diras-tu encore, discret Aramis, que tu es mal avec Mme de Bois-Tracy, quand cette gracieuse dame a l'obligeance de te prêter ses mouchoirs ?

---

3. Habitué, exercé.
4. Armoiries, blasons.

Aramis lança à d'Artagnan un de ces regards qui font comprendre à un homme qu'il vient de s'acquérir un ennemi mortel ; puis, reprenant son air douce-reux :

— Vous vous trompez, Messieurs, dit-il, ce mou-choir n'est pas à moi, et je ne sais pourquoi Monsieur a eu la fantaisie de me le remettre plutôt qu'à l'un de vous, et la preuve de ce que je dis, c'est que voici le mien dans ma poche.

Les jeunes gens éclatèrent de rire, et l'affaire n'eut pas d'autre suite. Au bout d'un instant, la conversa-tion cessa, et les trois gardes et le mousquetaire, après s'être cordialement serré la main, tirèrent[5], les trois gardes de leur côté et Aramis du sien.

« Voilà le moment de faire ma paix avec ce galant homme », se dit à part lui d'Artagnan, qui s'était tenu un peu à l'écart pendant toute la dernière partie de cette conversation. Et, sur ce bon sentiment, se rap-prochant d'Aramis, qui s'éloignait sans faire autre-ment attention à lui :

— Monsieur, lui dit-il, vous m'excuserez, je l'espère.

— Ah ! Monsieur, interrompit Aramis, permettez-moi de vous faire observer que vous n'avez point agi en cette circonstance comme un galant homme le devait faire.

— Quoi, Monsieur ! s'écria d'Artagnan, vous sup-posez...

—————————
5. S'en allèrent.

— Pourquoi avez-vous eu la maladresse de me rendre le mouchoir ?

— Pourquoi avez-vous eu celle de le laisser tomber ?

— J'ai dit et je répète, Monsieur, que ce mouchoir n'est point sorti de ma poche.

— Eh bien ! vous en avez menti deux fois, Monsieur, car je l'en ai vu sortir, moi.

— Ah ! vous le prenez sur ce ton, Monsieur le Gascon ! eh bien ! je vous apprendrai à vivre.

— Et moi je vous renverrai à votre messe, Monsieur l'abbé ! Dégainez, s'il vous plaît, et à l'instant même.

— Non pas, s'il vous plaît, mon bel ami ; non, pas ici, du moins. Ne voyez-vous pas que nous sommes en face de l'hôtel d'Aiguillon, lequel est plein de créatures du cardinal ? La prudence, Monsieur, est une vertu assez inutile aux mousquetaires, je le sais, mais indispensable aux gens d'Église, et comme je ne suis mousquetaire que provisoirement, je tiens à rester prudent. À deux heures, j'aurai l'honneur de vous attendre à l'hôtel de M. de Tréville. Là, je vous indiquerai les bons endroits.

Les deux jeunes gens se saluèrent, puis Aramis s'éloigna en remontant la rue qui remontait au Luxembourg, tandis que d'Artagnan, voyant que l'heure s'avançait, prenait le chemin des Carmes-Deschaux, tout en disant à part soi :

« Décidément, je n'en puis pas revenir ; mais au moins, si je suis tué, je serai tué par un mousquetaire. »

5

Les mousquetaires du roi
et les gardes de M. le cardinal

D'Artagnan ne connaissait personne à Paris. Il alla
donc au rendez-vous d'Athos sans amener de second,
résolu de se contenter de ceux qu'aurait choisis son
adversaire.

Athos, qui souffrait toujours cruellement de sa blessure, quoiqu'elle eût été pansée à neuf par le chirurgien de M. de Tréville, s'était assis sur une borne et
attendait son adversaire avec cette contenance paisible et cet air digne qui ne l'abandonnaient jamais. À
l'aspect[1] de d'Artagnan, il, se leva et fit poliment
quelques pas au-devant de lui.

— Monsieur, dit Athos, j'ai fait prévenir deux de
mes amis qui me serviront de seconds, mais ces deux

_____
1. 1. À la vue.

amis ne sont point encore arrivés. Je m'étonne qu'ils tardent : ce n'est pas leur habitude.

— Je n'ai pas de seconds, moi, Monsieur, dit d'Artagnan, car arrivé d'hier seulement à Paris, je n'y connais encore personne que M. de Tréville, auquel j'ai été recommandé par mon père qui a l'honneur d'être quelque peu de ses amis.

Athos réfléchit un instant.

— Vous ne connaissez que M. de Tréville ? demanda-t-il.

— Oui, Monsieur, je ne connais que lui.

— Ah çà, mais…, continua Athos parlant moitié à lui-même, moitié à d'Artagnan, ah çà, mais si je vous tue, j'aurai l'air d'un mangeur d'enfants, moi.

— Pas trop, Monsieur, répondit d'Artagnan avec un salut qui ne manquait pas de dignité ; pas trop, puisque vous me faites l'honneur de tirer l'épée contre moi avec une blessure dont vous devez être fort incommodé.

— Très incommodé, sur ma parole, et vous m'avez fait un mal du diable, je dois le dire ; mais je prendrai la main gauche, c'est mon habitude en pareille circonstance. Ne croyez donc pas que je vous fasse une grâce, je tire proprement des deux mains ; et il y aura même désavantage pour vous : un gaucher est très gênant pour les gens qui ne sont pas prévenus. Ah çà, mais ! ces flâneurs ne viendront donc pas ?

— Si vous êtes pressé, Monsieur, et qu'il vous plaise de m'expédier tout de suite, ne vous gênez pas, je vous en prie.

— Voilà un mot qui me plaît, dit Athos en faisant un gracieux signe de tête à d'Artagnan, il est à coup

47

sûr d'un homme de cœur. Monsieur, j'aime les hommes de votre trempe, et je vois que si nous ne nous tuons pas l'un l'autre, j'aurai plus tard un vrai plaisir dans votre conversation. Attendons ces Messieurs, je vous prie, cela sera plus correct. Ah ! en voici un, je crois.

En effet, au bout de la rue de Vaugirard commençait à apparaître le gigantesque Porthos.

— Quoi ! s'écria d'Artagnan, votre premier témoin est M. Porthos ?

— Oui, cela vous contrarie-t-il ?

— Non, aucunement.

— Et voici le second.

D'Artagnan se retourna du côté indiqué par Athos, et reconnut Aramis.

— Quoi ! s'écria-t-il d'un accent plus étonné que la première fois, votre second témoin est M. Aramis ?

— Sans doute, ne savez-vous pas qu'on ne nous voit jamais l'un sans l'autre, et qu'on nous appelle, dans les mousquetaires et dans les gardes, à la cour et à la ville, Athos, Porthos et Aramis ou les trois inséparables ?

— Ma foi, dit d'Artagnan, vous êtes bien nommés, Messieurs, et mon aventure, si elle fait quelque bruit, prouvera du moins que votre union n'est point fondée sur les contrastes.

Pendant ce temps, Porthos s'était rapproché, avait salué de la main Athos ; puis, se retournant vers d'Artagnan, il était resté tout étonné.

Disons, en passant, qu'il avait changé de baudrier et quitté son manteau.

— Ah ! ah ! fit-il, qu'est-ce que cela ?

— C'est avec Monsieur que je me bats, dit Athos en montrant de la main d'Artagnan, et en le saluant du même geste.

— C'est avec lui que je me bats aussi, dit Porthos.

— Mais à une heure seulement, répondit d'Artagnan.

— Et moi aussi, c'est avec Monsieur que je me bats, dit Aramis en arrivant à son tour sur le terrain.

— Mais à deux heures seulement, fit d'Artagnan avec le même calme. Et maintenant que vous êtes rassemblés, Messieurs, permettez-moi de vous faire mes excuses.

À ce mot d'*excuses*, un nuage passa sur le front d'Athos, un sourire hautain glissa sur les lèvres de Porthos, et un signe négatif fut la réponse d'Aramis.

— Vous ne me comprenez pas, Messieurs, dit d'Artagnan en relevant sa tête : je vous demande excuse dans le cas où je ne pourrais vous payer ma dette à tous trois, car M. Athos a le droit de me tuer le premier, ce qui ôte beaucoup de sa valeur à votre créance, Monsieur Porthos, et ce qui rend la vôtre à peu près nulle, Monsieur Aramis. Et maintenant, Messieurs, je vous le répète, excusez-moi, mais de cela seulement, et en garde !

À ces mots, du geste le plus cavalier qui se puisse voir, d'Artagnan tira son épée.

Mais les deux rapières avaient à peine résonné en se touchant, qu'une escouade des gardes de Son Éminence, commandée par M. de Jussac, se montra à l'angle du couvent.

— Les gardes du cardinal ! s'écrièrent à la fois Porthos et Aramis. L'épée au fourreau, Messieurs ! l'épée au fourreau !

Mais il était trop tard. Les deux combattants avaient été vus dans une pose qui ne permettait pas de douter de leurs intentions.

— Holà ! cria Jussac en s'avançant vers eux et en faisant signe à ses hommes d'en faire autant, holà ! mousquetaires, on se bat donc ici ? Et les édits, qu'en faisons-nous ?

— Vous êtes bien généreux, messieurs les gardes, dit Athos plein de rancune, car Jussac était l'un des agresseurs de l'avant-veille. Si nous vous voyions battre, je vous réponds, moi, que nous nous garderions bien de vous en empêcher. Laissez-nous donc faire, et vous allez avoir du plaisir sans prendre aucune peine.

— Messieurs, dit Jussac, c'est avec grand regret que je vous déclare que la chose est impossible. Notre devoir avant tout. Rengainez donc, s'il vous plaît, et nous suivez.

— Monsieur, dit Aramis parodiant Jussac, ce serait avec un grand plaisir que nous obéirions à votre gracieuse invitation, si cela dépendait de nous ; mais malheureusement la chose est impossible : M. de Tréville nous l'a défendu. Passez donc votre chemin, c'est ce que vous avez de mieux à faire.

Cette raillerie exaspéra Jussac.

— Nous vous chargerons donc, dit-il, si vous désobéissez.

— Ils sont cinq, dit Athos à demi-voix, et nous ne sommes que trois ; nous serons encore battus, et il nous faudra mourir ici, car je le déclare, je ne reparais pas vaincu devant le capitaine.

Alors Porthos et Aramis se rapprochèrent à l'instant les uns des autres, pendant que Jussac alignait ses soldats.

Ce seul moment suffit à d'Artagnan pour prendre son parti : c'était là un de ces événements qui décident de la vie d'un homme, c'était un choix à faire entre le roi et le cardinal ; disons-le à sa louange, il n'hésita point une seconde. Se tournant donc vers Athos et ses amis :

— Messieurs, dit-il, je reprendrai, s'il vous plaît, quelque chose à vos paroles. Vous avez dit que vous n'étiez que trois, mais il me semble, à moi, que nous sommes quatre.

— Mais vous n'êtes pas des nôtres, dit Porthos.

D'Artagnan comprit leur irrésolution.

— Messieurs, essayez-moi toujours, dit-il, et je vous jure sur l'honneur que je ne veux pas m'en aller d'ici si nous sommes vaincus.

— Comment vous appelle-t-on, mon brave ? dit Athos.

— D'Artagnan, Monsieur.

— Eh bien, Athos, Porthos, Aramis et d'Artagnan, en avant ! cria Athos.

Et les neuf combattants se précipitèrent les uns sur les autres avec une furie qui n'excluait pas une certaine méthode.

Athos prit un certain Cahusac, favori du cardinal ; Porthos eut Biscarat, et Aramis se vit en face de deux adversaires.

Quant à d'Artagnan, il se trouva lancé contre Jussac lui-même.

Le cœur du jeune Gascon battait à lui briser la poitrine, non pas de peur, Dieu merci ! il n'en avait pas l'ombre, mais d'émulation ; il se battait comme un tigre en fureur, tournant dix fois autour de son adversaire, changeant vingt fois ses gardes et son terrain. Jussac était, comme on le disait alors, friand de la lame, et avait fort pratiqué ; cependant il avait toutes les peines du monde à se défendre contre un adversaire qui, agile et bondissant, s'écartait à tout moment des règles reçues, attaquant de tous côtés à la fois, et tout cela en parant en homme qui a le plus grand respect pour son épiderme.

Enfin cette lutte finit par faire perdre patience à Jussac. Furieux d'être tenu en échec par celui qu'il avait regardé comme un enfant, il s'échauffa et commença à faire des fautes. D'Artagnan, qui, à défaut de la pratique, avait une profonde théorie, redoubla d'agilité. Jussac, voulant en finir, porta un coup terrible à son adversaire en se fendant[2] à fond ; mais celui-ci para prime, et tandis que Jussac se relevait, se glissant comme un serpent sous son fer, il lui passa son épée au travers du corps. Jussac tomba comme une masse. D'Artagnan jeta alors un coup d'œil inquiet et rapide sur le champ de bataille.

Aramis avait déjà tué un de ses adversaires ; mais l'autre le pressait vivement. Cependant Aramis était en bonne situation et pouvait encore se défendre.

Biscarat et Porthos venaient de faire coup fourré[3] : Porthos avait reçu un coup d'épée au travers du bras,

---

2. En portant la jambe droite en avant.
3. De se blesser mutuellement.

et Biscarat au travers de la cuisse. Mais comme ni l'une ni l'autre des deux blessures n'était grave, ils ne s'en escrimaient qu'avec plus d'acharnement.

Athos, blessé de nouveau par Cahusac, pâlissait à vue d'œil, mais il ne reculait pas d'une semelle : il avait seulement changé son épée de main, et se battait de la main gauche.

D'Artagnan comprit que ce serait désobliger Athos que de ne pas le laisser faire. En effet, quelques secondes après, Cahusac tomba la gorge traversée d'un coup d'épée.

Au même instant, Aramis appuyait son épée contre la poitrine de son adversaire renversé, et le forçait à demander merci.

Restaient Porthos et Biscarat. Porthos faisait mille fanfaronnades, demandant à Biscarat quelle heure il pouvait bien être, et lui faisait ses compliments sur la compagnie que venait d'obtenir son frère dans le régiment de Navarre ; mais, tout en raillant, il ne gagnait rien. Biscarat était un de ces hommes de fer qui ne tombent que morts.

Cependant il fallait en finir. Le guet[4] pouvait arriver et prendre tous les combattants, blessés ou non, royalistes ou cardinalistes. Athos, Aramis et d'Artagnan entourèrent Biscarat et le sommèrent de se rendre. Quoique seul contre tous, et avec un coup d'épée qui lui traversait la cuisse, Biscarat voulait tenir ; mais Jussac, qui s'était relevé sur son coude, lui cria de se rendre. Biscarat était un Gascon comme d'Artagnan ;

---

4. La troupe chargée du maintien de l'ordre.

il fit la sourde oreille et se contenta de rire, et entre deux parades, trouvant le temps de désigner, du bout de son épée, une place à terre :

— Ici, dit-il, parodiant un verset de la Bible, ici mourra Biscarat, seul de ceux qui sont avec lui.

— Mais ils sont quatre contre toi ; finis-en, je te l'ordonne.

— Ah ! si tu l'ordonnes, c'est autre chose, dit Biscarat ; comme tu es mon brigadier, je dois obéir.

Et, faisant un bond en arrière, il cassa son épée sur son genou pour ne pas la rendre, en jeta les morceaux par-dessus le mur du couvent et se croisa les bras en sifflant un air cardinaliste.

La bravoure est toujours respectée, même dans un ennemi. Les mousquetaires saluèrent Biscarat de leurs épées et les remirent au fourreau. D'Artagnan en fit autant, puis, aidé de Biscarat, le seul qui fût resté debout, il porta sous le porche du couvent Jussac, Cahusac et celui des adversaires d'Aramis qui n'était que blessé. Le quatrième, comme nous l'avons dit, était mort. Puis ils sonnèrent la cloche, et, emportant quatre épées sur cinq, ils s'acheminèrent ivres de joie vers l'hôtel de M. de Tréville.

6

Sa majesté le roi Louis treizième

L'affaire fit grand bruit. M. de Tréville gronda beaucoup tout haut contre ses mousquetaires, et les félicita
tout bas ; mais comme il n'y avait pas de temps à
perdre pour prévenir le roi, M. de Tréville s'empressa
de se rendre au Louvre. Il était déjà trop tard, le roi
était enfermé avec le cardinal, et l'on dit à M. de
Tréville que le roi travaillait et ne pouvait recevoir en
ce moment. Le soir, M. de Tréville vint au jeu du roi.
Le roi gagnait, et comme Sa Majesté était fort avare,
elle était d'excellente humeur ; aussi, du plus loin que
le roi aperçut Tréville :

— Venez ici, Monsieur le capitaine, dit-il, venez
que je vous gronde ; savez-vous que Son Éminence
est venue me faire des plaintes sur vos mousquetaires,
et cela avec une telle émotion, que ce soir Son Éminence en est malade ? Ah çà, mais ce sont des diables
à quatre, des gens à pendre, que vos mousquetaires !

— Non, Sire, répondit Tréville, qui vit du premier coup d'œil comment la chose allait tourner ; non, tout au contraire, ce sont de bonnes créatures, douces comme des agneaux, et qui n'ont qu'un désir, je m'en ferais garant : c'est que leur épée ne sorte du fourreau que pour le service de Votre Majesté. Mais, que voulez-vous, les gardes de M. le cardinal sont sans cesse à leur chercher querelle, et, pour l'honneur même du corps, les pauvres jeunes gens sont obligés de se défendre.

— Eh bien ! Monsieur, vous dites que ce sont les gardes de l'Éminentissime qui ont été chercher querelle à vos mousquetaires ?

— Je dis qu'il est probable que les choses se sont passées ainsi, mais je n'en jure pas. Sire. Vous savez combien la vérité est difficile à connaître, et à moins d'être doué de cet instinct admirable qui a fait nommer Louis XIII le Juste…

— Et vous avez raison, Tréville ; mais ils n'étaient pas seuls, vos mousquetaires, il y avait avec eux un enfant ?

— Oui, Sire, et un homme blessé, de sorte que trois mousquetaires du roi, dont un blessé, et un enfant, non seulement ont tenu tête à cinq des plus terribles gardes de M. le cardinal, mais encore en ont porté quatre à terre.

— Mais c'est une victoire, cela ! s'écria le roi tout rayonnant ; une victoire complète ! Quatre hommes, dont un blessé, et un enfant, dites-vous ?

— Un jeune homme à peine ; lequel s'est même si parfaitement conduit en cette occasion, que je prendrai la liberté de le recommander à Votre Majesté.

— Comment s'appelle-t-il ?

— D'Artagnan, Sire. C'est le fils d'un de mes plus anciens amis ; le fils d'un homme qui a fait avec le roi votre père, de glorieuse mémoire, la guerre de partisans[1].

— Et vous dites qu'il s'est bien conduit, ce jeune ?

— En effet, et Votre Majesté a là un si ferme champion, que ce fut lui qui donna à Jussac ce terrible coup d'épée qui met si fort en colère M. le cardinal.

— Jussac, une des premières lames du royaume !

— Eh bien, Sire ! il a trouvé son maître.

— Je veux voir ce jeune homme, Tréville, je veux le voir, et si l'on peut faire quelque chose, eh bien nous nous en occuperons.

— Quand Votre Majesté daignera-t-elle le recevoir ?

— Demain à midi, Tréville.

— L'amènerai-je seul ?

— Non, amenez-les-moi tous les quatre ensemble. Je veux les remercier tous à la fois.

— À midi, Sire, nous serons au Louvre.

— Ah ! par le petit escalier, Tréville, par le petit escalier. Il est inutile que le cardinal sache…

Tréville sourit. Mais comme c'était déjà beaucoup pour lui d'avoir obtenu de cet enfant qu'il se révoltât contre son maître, il salua respectueusement le roi, et avec son agrément prit congé de lui.

Dès le soir même, les trois mousquetaires furent prévenus de l'honneur qui leur était accordé. Comme

---

1. Combattants volontaires pendant les guerres de religion.

ils connaissaient depuis longtemps le roi, ils n'en furent pas trop échauffés : mais d'Artagnan, avec son imagination gasconne, y vit sa fortune à venir, et passa la nuit à faire des rêves d'or. Aussi, dès huit heures du matin, était-il chez Athos.

D'Artagnan trouva le mousquetaire tout habillé et prêt à sortir. Comme on n'avait rendez-vous chez le roi qu'à midi, il avait formé le projet, avec Porthos et Aramis, d'aller faire une partie de paume dans un tripot[2] situé tout près des écuries du Luxembourg. Athos invita d'Artagnan à les suivre.

Les deux mousquetaires étaient déjà arrivés et pelotaient[3] ensemble. Athos, qui était très fort à tous les exercices du corps, passa avec d'Artagnan du côté opposé, et leur fit défi. Mais au premier mouvement qu'il essaya, quoiqu'il jouât de la main gauche, il comprit que sa blessure était encore trop récente pour lui permettre un pareil exercice. D'Artagnan resta donc seul. Mais une de ces balles, lancée par le poignet herculéen de Porthos, passa si près du visage de d'Artagnan, qu'il pensa que si, au lieu de passer à côté, elle eût donné dedans, son audience était probablement perdue. Or, comme de cette audience, dans son imagination gasconne, dépendait tout son avenir, il s'en revint prendre place près de la corde et dans la galerie.

Malheureusement pour d'Artagnan, parmi les spectateurs se trouvait un garde de Son Éminence, lequel, tout échauffé encore de la défaite de ses compagnons,

---

2. Salle de jeu de paume, l'ancêtre du tennis.
3. Échangeaient des balles (sans faire de partie).

arrivée la veille seulement, s'était promis de saisir la première occasion de la venger. Il crut donc que cette occasion était venue, et s'adressant à son voisin :

— Il n'est pas étonnant, dit-il, que ce jeune homme ait eu peur d'une balle, c'est sans doute un apprenti mousquetaire.

D'Artagnan se retourna comme si un serpent l'eût mordu, et regarda fixement le garde qui venait de tenir cet insolent propos.

— Pardieu ! reprit celui-ci en frisant insolemment sa moustache, regardez-moi tant que vous voudrez, mon petit Monsieur, j'ai dit ce que j'ai dit.

— Et comme ce que vous avez dit est trop clair pour que vos paroles aient besoin d'explication, répondit d'Artagnan à voix basse, je vous prierai de me suivre.

— Et quand cela ? demanda le garde avec le même air railleur.

— Tout de suite, s'il vous plaît. Comment vous appelez-vous ?

— Bernajoux, pour vous servir.

— Eh bien ! Monsieur Bernajoux, dit d'Artagnan, je vais vous attendre sur la porte.

— Allez, Monsieur, je vous suis.

Porthos et Aramis étaient si occupés de leur partie, et Athos les regardait avec tant d'attention, qu'ils ne virent pas même sortir leur jeune compagnon, lequel, ainsi qu'il l'avait dit au garde de Son Éminence, s'arrêta sur la porte ; un instant après, celui-ci descendit à son tour. Comme d'Artagnan n'avait pas de temps à perdre, vu l'audience du roi qui était fixée à midi, il jeta les yeux autour de lui, et voyant que la rue était déserte :

— Ma foi, dit-il à son adversaire, il est bien heureux pour vous de n'avoir affaire qu'à un apprenti mousquetaire ; cependant, soyez tranquille, je ferai de mon mieux. En garde !

Bernajoux n'était pas homme à se faire répéter deux fois un pareil compliment[4]. Au même instant son épée brilla à sa main, et il fondit sur son adversaire que, grâce à sa grande jeunesse, il espérait intimider.

Mais d'Artagnan avait fait la veille son apprentissage, et tout frais émoulu de sa victoire, il était résolu à ne pas reculer d'un pas : aussi les deux fers se trouvèrent-ils engagés jusqu'à la garde, et comme d'Artagnan tenait ferme à sa place, ce fut son adversaire qui fit un pas de retraite. Mais d'Artagnan saisit le moment où, dans ce mouvement, le fer de Bernajoux déviait de la ligne, il dégagea, se fendit et toucha son adversaire à l'épaule. Aussitôt d'Artagnan, à son tour, fit un pas de retraite et releva son épée ; mais Bernajoux lui cria que ce n'était rien, et se fendant aveuglément sur lui, il s'enferra de lui-même. Cependant, comme il ne tombait pas, comme il ne se déclarait pas vaincu, mais que seulement il rompait[5] du côté de l'hôtel de M. de La Trémouille au service duquel il avait un parent, d'Artagnan, ignorant la gravité de la blessure que son adversaire avait reçue, le pressait vivement, et sans doute allait l'achever, lorsque la rumeur qui s'élevait de la rue s'étant étendue jusqu'au

4. Une pareille invitation.
5. Reculait.

jeu de paume, deux des amis du garde se précipitèrent l'épée à la main hors du tripot et tombèrent sur le vainqueur. Mais aussitôt Athos, Porthos et Aramis parurent à leur tour, et au moment où les deux gardes attaquaient leur jeune camarade, les forcèrent à se retourner. En ce moment, Bernajoux tomba ; et comme les gardes étaient seulement deux contre quatre, ils se mirent à crier : « À nous, l'hôtel de La Trémouille ! » À ces cris, tout ce qui était dans l'hôtel sortit, se ruant sur les quatre compagnons, qui de leur côté se mirent à crier : « À nous, mousquetaires ! »

Ce cri était ordinairement entendu ; car on savait les mousquetaires ennemis de Son Éminence, et on les aimait pour la haine qu'ils portaient au cardinal.

Aussi les gardes des autres compagnies que celles appartenant au duc Rouge, comme l'avait appelé Aramis, prenaient-ils en général parti dans ces sortes de querelles pour les mousquetaires du roi. De trois gardes de la compagnie de M. des Essarts qui passaient, deux vinrent donc en aide aux quatre compagnons, tandis que l'autre courait à l'hôtel de M. de Tréville, criant : « À nous, mousquetaires, à nous ! » Comme d'habitude, l'hôtel de M. de Tréville était plein de soldats de cette arme, qui accoururent au secours de leurs camarades ; la mêlée devint générale, mais la force était aux mousquetaires : les gardes du cardinal et les gens de M. de La Trémouille se retirèrent dans l'hôtel, dont ils fermèrent les portes assez à temps pour empêcher que leurs ennemis n'y fissent irruption en même temps qu'eux. Quant au blessé, il y avait été tout d'abord transporté en fort mauvais état.

L'agitation était à son comble parmi les mousquetaires et leurs alliés, et l'on délibérait déjà si, pour punir l'insolence qu'avaient eue les domestiques de M. de La Trémouille de faire une sortie sur les mousquetaires du roi, on ne mettrait pas le feu à son hôtel.

La proposition en avait été faite et accueillie avec enthousiasme, lorsque heureusement onze heures sonnèrent ; d'Artagnan et ses compagnons se souvinrent de leur audience, et comme ils eussent regretté que l'on fît un si beau coup sans eux, ils parvinrent à calmer les têtes. On se contenta donc de jeter quelques pavés dans les portes, mais les portes résistèrent : alors on se lassa ; d'ailleurs ceux qui devaient être regardés comme les chefs de l'entreprise avaient depuis un instant quitté le groupe et s'acheminaient vers l'hôtel de M. de Tréville, qui les attendait, déjà au courant de cette algarade[6].

— Vite, au Louvre, dit-il, au Louvre sans perdre un instant, et tâchons de voir le roi avant qu'il soit prévenu par le cardinal ; nous lui raconterons la chose comme une suite de l'affaire d'hier, et les deux passeront ensemble.

M. de Tréville, accompagné des quatre jeunes gens, s'achemina donc vers le Louvre ; mais, au grand étonnement du capitaine des mousquetaires, on lui annonça que le roi était allé courre[7] le cerf dans la forêt de

---

6. Escarmouche, altercation.
7. Ancien infinitif du verbe courir, qui s'est conservé dans le langage de la chasse.

Saint-Germain. M. de Tréville se fit répéter deux fois cette nouvelle, et à chaque fois ses compagnons virent son visage se rembrunir.

— Nous sommes prévenus, dit M. de Tréville, Messieurs, je verrai le roi ce soir ; mais quant à vous, je ne vous conseille pas de vous y hasarder.

L'avis était trop raisonnable et surtout venait d'un homme qui connaissait trop bien le roi, pour que les quatre jeunes gens essayassent de le combattre. M. de Tréville les invita donc à rentrer chacun chez eux et à attendre de ses nouvelles.

En entrant à son hôtel, M. de Tréville songea qu'il fallait prendre date en portant plainte le premier. Il envoya un de ses domestiques chez M. de La Tré- mouille avec une lettre dans laquelle il le priait de réprimander ses gens de l'audace qu'ils avaient eue de faire leur sortie contre les mousquetaires. Mais M. de La Trémouille, déjà prévenu par son écuyer dont Bernajoux était le parent, lui fit répondre que ce n'était ni à M. de Tréville, ni à ses mousquetaires de se plaindre, mais bien au contraire à lui dont les mous- quetaires avaient chargé les gens et voulu brûler l'hôtel. Or, comme le débat entre ces deux seigneurs eût pu durer longtemps, chacun devant naturellement s'entêter dans son opinion, M. de Tréville avisa un expédient[8] qui avait pour but de tout terminer : c'était d'aller trouver lui-même M. de La Trémouille.

Il se rendit donc aussitôt à son hôtel, et se fit annon- cer.

----

8. Trouva un moyen ingénieux.

63

Les deux seigneurs se saluèrent poliment, car, s'il n'y avait pas amitié entre eux, il y avait du moins estime.

— Monsieur, dit M. de Tréville, nous croyons avoir à nous plaindre chacun l'un de l'autre, et je suis venu moi-même pour que nous tirions de compagnie cette affaire au clair.

— Volontiers, répondit M. de La Trémouille ; mais je vous préviens que je suis bien renseigné, et tout le tort est à vos mousquetaires.

— Vous êtes un homme trop juste et trop raisonnable, Monsieur, dit M. de Tréville, pour ne pas accepter la proposition que je vais faire.

— Faites, Monsieur, j'écoute.

— Comment se trouve M. Bernajoux, le parent de votre écuyer ?

— Mais, Monsieur, fort mal.

— Parle-t-il ?

— Avec difficulté, mais il parle.

— Eh bien, Monsieur ! rendons-nous près de lui ; adjurons-le, au nom du Dieu devant lequel il va être appelé peut-être, de dire la vérité. Je le prends pour juge dans sa propre cause, Monsieur, et ce qu'il dira je le croirai.

M. de La Trémouille réfléchit un instant, puis, comme il était difficile de faire une proposition plus raisonnable, il accepta.

Tous deux descendirent dans la chambre où était le blessé. Celui-ci, en voyant entrer ces deux nobles seigneurs qui venaient lui faire visite, essaya de se relever sur son lit, mais il était trop faible, et, épuisé par l'effort qu'il avait fait, il retomba presque sans connaissance.

M. de La Trémouille s'approcha de lui et lui fit respirer des sels qui le rappelèrent à la vie. Alors M. de Tréville, ne voulant pas qu'on pût l'accuser d'avoir influencé le malade, invita M. de La Trémouille à l'interroger lui-même.

Ce qu'avait prévu M. de Tréville arriva Placé entre la vie et la mort comme l'était Bernajoux, il n'eut pas même l'idée de taire un instant la vérité, et il raconta aux deux seigneurs les choses exactement, telles qu'elles s'étaient passées.

C'était tout ce que voulait M. de Tréville ; il souhaita à Bernajoux une prompte convalescence, prit congé de M. de La Trémouille, rentra à son hôtel et fit aussitôt prévenir les quatre amis qu'il les attendait à dîner.

Vers six heures, M. de Tréville annonça qu'il était tenu d'aller au Louvre ; mais comme l'heure de l'audience accordée par Sa Majesté était passée, au lieu de réclamer l'entrée par le petit escalier, il se plaça avec les quatre jeunes gens dans l'antichambre. Le roi n'était pas encore revenu de la chasse. Nos jeunes gens attendaient depuis une demi-heure à peine, mêlés à la foule des courtisans, lorsque toutes les portes s'ouvrirent et qu'on annonça Sa Majesté.

Louis XIII parut, marchant le premier ; il était en costume de chasse, encore tout poudreux, ayant de grandes bottes et tenant un fouet à la main. Au premier coup d'œil, d'Artagnan jugea que l'esprit du roi était à l'orage.

Cette disposition, toute visible qu'elle était chez Sa Majesté, n'empêcha pas les courtisans de se ranger sur son passage : mais quoique le roi connût personnellement Athos, Porthos et Aramis, il passa devant eux sans les regarder, sans leur parler et comme s'il ne les avait jamais vus. Quant à M. de Tréville, lorsque les yeux du roi s'arrêtèrent un instant sur lui, il soutint ce regard avec tant de fermeté, que ce fut le roi qui détourna la vue ; après quoi, tout en grommelant, Sa Majesté rentra dans son appartement.

— Attendez ici dix minutes, dit M. de Tréville ; et si au bout de dix minutes vous ne me voyez pas sortir, retournez à mon hôtel : car il sera inutile que vous m'attendiez plus longtemps.

Les quatre jeunes gens attendirent dix minutes ; un quart d'heure, vingt minutes ; et voyant que M. de Tréville ne reparaissait point, ils sortirent fort inquiets de ce qui allait arriver.

M. de Tréville était entré hardiment dans le cabinet du roi, et avait trouvé Sa Majesté de très méchante humeur, assise sur un fauteuil et battant ses bottes du manche de son fouet, ce qui ne l'avait pas empêché de lui demander avec le plus grand flegme des nouvelles de sa santé.

— Mauvaise, Monsieur, mauvaise, répondit le roi, je m'ennuie.

— Comment ! Votre Majesté s'ennuie ! dit M. de Tréville. N'a-t-elle donc pas pris aujourd'hui le plaisir de la chasse ?

— Ah ! je suis un roi bien malheureux. Monsieur de Tréville ! je n'avais plus qu'un gerfaut ; et il est mort avant-hier.

— En effet, Sire, je comprends votre désespoir, et le malheur est grand ; mais il vous reste encore, ce me semble, bon nombre de faucons, d'éperviers et de tiercelets.

— Et pas un homme pour les instruire, les fauconniers s'en vont, il n'y a plus que moi qui connaisse l'art de la vénerie. Après moi tout sera dit, et l'on chassera avec des traquenards, des pièges, des trappes. Si j'avais le temps encore de former des élèves ! mais M. le cardinal est là qui ne me laisse pas un instant de repos, qui me parle de l'Espagne, qui me parle de l'Autriche, qui me parle de l'Angleterre ! Ah ! à propos de M. le cardinal, Monsieur de Tréville, je suis mécontent de vous.

M. de Tréville attendait le roi à cette chute.

— Et en quoi ai-je été assez malheureux pour déplaire à Votre Majesté ? demanda M. de Tréville en feignant le plus profond étonnement.

— Est-ce ainsi que vous faites votre charge, Monsieur ? continua le roi sans répondre directement à la question de M. de Tréville ; est-ce pour cela que je vous ai nommé capitaine de mes mousquetaires, que ceux-ci assassinent un homme, émeuvent tout un quartier et veulent brûler Paris sans que vous en disiez un mot ? Mais, au reste, continua le roi, sans doute que je me hâte de vous accuser, sans doute que les perturbateurs sont en prison et que vous venez m'annoncer que justice est faite.

— Sire, répondit tranquillement M. de Tréville, je viens vous la demander au contraire.

— Et contre qui ? s'écria le roi.

— Contre les calomniateurs, dit M. de Tréville.

— Ah ! voilà qui est nouveau, reprit le roi. N'allez-vous pas dire que vos trois mousquetaires damnés, Athos, Porthos et Aramis et votre cadet de Béarn, ne se sont pas jetés comme des furieux sur le pauvre Bernajoux, et ne l'ont pas maltraité de telle façon qu'il est probable qu'il est en train de trépasser à cette heure ! N'allez-vous pas dire qu'ensuite ils n'ont pas fait le siège de l'hôtel du duc de La Trémouille, et qu'ils n'ont point voulu le brûler ! Dites, n'allez-vous pas nier tout cela ?

— Et qui vous a fait ce beau récit, Sire ? demanda tranquillement M. de Tréville.

— Qui m'a fait ce beau récit, Monsieur ! et qui voulez-vous que ce soit, si ce n'est celui qui veille quand je dors, qui travaille quand je m'amuse, qui mène tout au-dedans et au-dehors du royaume, en France comme en Europe ?

— Son Éminence n'est pas Sa Sainteté, Sire.

— Qu'entendez-vous par là, Monsieur ?

— Qu'il n'y a que le pape qui soit infaillible, et que cette infaillibilité ne s'étend pas aux cardinaux.

— Vous voulez dire qu'il me trompe, vous voulez dire qu'il me trahit. Vous l'accusez alors. Voyons, dites, avouez franchement que vous l'accusez.

— Non, Sire ; mais je dis qu'il se trompe lui-même ; je dis qu'il a été mal renseigné.

— L'accusation vient de M. de La Trémouille, du duc lui-même. Que répondrez-vous à cela ?

— Je pourrais répondre, Sire, qu'il est trop intéressé dans la question pour être un témoin bien impartial ; mais loin de là, Sire, je connais le duc pour un loyal gentilhomme, et je m'en rapporterai à lui.

— Vous accepterez son jugement ?

— Sans doute.

— Et vous vous soumettrez aux réparations qu'il exigera ?

— Parfaitement.

— La Chesnaye ! fit le roi. La Chesnaye !

Le valet de chambre de confiance de Louis XIII, qui se tenait toujours à la porte, entra.

— La Chesnaye, dit le roi, qu'on aille à l'instant même me quérir M. de La Trémouille ; je veux lui parler ce soir.

— Votre Majesté me donne sa parole qu'elle ne verra personne entre M. de La Trémouille et moi ?

— Personne, foi de gentilhomme.

— À demain, Sire, alors.

— À demain, Monsieur.

— À quelle heure, s'il plaît à Votre Majesté ?

— À l'heure que vous voudrez.

— Mais, en venant par trop matin, je crains de réveiller Votre Majesté.

— Me réveiller ? Est-ce que je dors ? Je ne dors plus, Monsieur ; je rêve quelquefois, voilà tout. Venez donc d'aussi bon matin que vous voudrez, à sept heures ; mais gare à vous, si vos mousquetaires sont coupables !

Si peu que dormit le roi, M. de Tréville dormit plus mal encore ; il avait fait prévenir dès le soir même ses trois mousquetaires et leur compagnon de se trouver chez lui à six heures et demie du matin. Il les emmena avec lui sans rien leur affirmer, sans leur rien promettre, et ne leur cachant pas que leur faveur et même la sienne tenaient à un coup de dés.

Arrivé au bas du petit escalier, il les fit attendre. Si le roi était toujours irrité contre eux, ils s'éloigneraient sans être vus ; si le roi consentait à les recevoir, on n'aurait qu'à les faire appeler.

En arrivant dans l'antichambre particulière du roi, M. de Tréville trouva La Chesnaye, qui lui apprit qu'on n'avait pas rencontré le duc de La Trémouille la veille au soir à son hôtel, qu'il était rentré trop tard pour se présenter au Louvre, qu'il venait seulement d'arriver, et qu'il était à cette heure chez le roi.

Cette circonstance plut beaucoup à M. de Tréville, qui, de cette façon, fut certain qu'aucune suggestion étrangère ne se glisserait entre la déposition de M. de La Trémouille et lui.

En effet, dix minutes s'étaient à peine écoulées, que la porte du cabinet s'ouvrit et que M. de Tréville en vit sortir le duc de La Trémouille, lequel vint à lui et lui dit :

— Monsieur de Tréville, Sa Majesté vient de m'envoyer quérir pour savoir comment les choses s'étaient passées hier matin à mon hôtel. Je lui ai dit la vérité, c'est-à-dire que la faute était à mes gens, et que j'étais prêt à vous en faire mes excuses. Puisque je vous rencontre, veuillez les recevoir, et me tenir toujours pour un de vos amis.

— Monsieur le duc, dit M. de Tréville, j'étais si plein de confiance dans votre loyauté, que je n'avais pas voulu près de Sa Majesté d'autre défenseur que vous-même.

— Ah ! c'est vous, Tréville ! Où sont vos mousquetaires ? Je vous avais dit avant-hier de me les amener, pourquoi ne l'avez-vous pas fait ?

— Ils sont en bas, Sire, et avec votre congé[9] La Chesnaye va leur dire de monter.

— Oui, oui, qu'ils viennent tout de suite ; il va être huit heures, et à neuf heures j'attends une visite. Allez, Monsieur le duc, et revenez surtout. Entrez, Tréville.

Le duc salua et sortit. Au moment où il ouvrait la porte, les trois mousquetaires et d'Artagnan, conduits par La Chesnaye, apparaissaient au haut de l'escalier.

— Venez, mes braves, dit le roi, venez ; j'ai à vous gronder.

Les mousquetaires s'approchèrent en s'inclinant ; d'Artagnan les suivait par-derrière.

— Comment diable ! continua le roi ; à vous quatre, sept gardes de Son Éminence mis hors de combat en deux jours ! C'est trop, Messieurs, c'est trop. À ce compte-là, Son Éminence serait forcée de renouveler sa compagnie dans trois semaines, et moi de faire appliquer les édits dans toute leur rigueur. Un par hasard, je ne dis pas ; mais sept en deux jours, je le répète, c'est trop, c'est beaucoup trop.

— Aussi, Sire, Votre Majesté voit qu'ils viennent tout contrits et tout repentants lui faire leurs excuses.

— Tout contrits et tout repentants ! Hum ! fit le roi, je ne me fie point à leurs faces hypocrites ; il y a surtout là-bas une figure de Gascon. Venez ici, Monsieur.

D'Artagnan, qui comprit que c'était à lui que le compliment s'adressait, s'approcha en prenant son air le plus désespéré.

---

9. Permission, autorisation.

— Eh bien, que me disiez-vous donc que c'était un jeune homme ? c'est un enfant, Monsieur de Tréville, un véritable enfant ! Et c'est celui-là qui a donné ce rude coup d'épée à Jussac ?

— Et ces deux beaux coups d'épée à Bernajoux.

— Mais c'est donc un véritable démon que ce Béarnais, ventre-saint-gris ! Monsieur de Tréville, comme eût dit le roi mon père. À ce métier-là, on doit trouer force pourpoints et briser force épées. Or les Gascons sont toujours pauvres, n'est-ce pas ?

— Sire, je dois dire qu'on n'a pas encore trouvé des mines d'or dans leurs montagnes, quoique le Seigneur leur dût bien ce miracle en récompense de la manière dont ils ont soutenu les prétentions[10] du roi votre père.

— Ce qui veut dire que ce sont les Gascons qui m'ont fait roi moi-même, n'est-ce pas, Tréville, puisque je suis le fils de mon père ? Eh bien ! à la bonne heure, je ne dis pas non. La Chesnaye, allez voir si, en fouillant dans toutes mes poches, vous trouverez quarante pistoles ; et si vous les trouvez, apportez-les-moi.

À cette époque, les idées de fierté qui sont de mise de nos jours n'étaient point encore de mode. Un gentilhomme recevait de la main à la main de l'argent du roi, et n'en était pas le moins du monde humilié. D'Artagnan mit les quarante pistoles dans sa poche sans faire aucune façon, et en remerciant tout au contraire grandement Sa Majesté.

---

10. Droits.

— Là, dit le roi en regardant sa pendule, là, et maintenant qu'il est huit heures et demie, retirez-vous ; car, je vous l'ai dit, j'attends quelqu'un à neuf heures. Merci de votre dévouement, Messieurs. J'y puis compter, n'est-ce pas ?

— Oh ! Sire, s'écrièrent d'une même voix les quatre compagnons, nous nous ferions couper en morceaux pour Votre Majesté.

— Bien, bien ; mais restez entiers : cela vaut mieux, et vous me serez plus utiles. Tréville, ajouta le roi à demi-voix pendant que les autres se retiraient, comme vous n'avez pas de place dans les mousquetaires et que d'ailleurs pour entrer dans ce corps nous avons décidé qu'il fallait faire un noviciat[11], placez ce jeune homme, dans la compagnie des gardes de M. des Essarts, votre beau-frère. Ah ! pardieu ! Tréville, je me réjouis de la grimace que va faire le cardinal : il sera furieux, mais cela m'est égal ; je suis dans mon droit.

---

11. Apprentissage, mise à l'épreuve.

7

L'intérieur des mousquetaires

Lorsque d'Artagnan fut hors du Louvre, et qu'il consulta ses amis sur l'emploi qu'il devait faire de sa part des quarante pistoles, Athos lui conseilla de commander un bon repas à la *Pomme de Pin*, Porthos de prendre un laquais, et Aramis de se faire une maîtresse convenable.

Le repas fut exécuté le jour même, et le laquais y servit à table. Le repas avait été commandé par Athos, et le laquais fourni par Porthos. C'était un Picard que le glorieux mousquetaire avait embauché le jour même et à cette occasion sur le pont de la Tournelle pendant qu'il faisait des ronds en crachant dans l'eau.

Porthos avait prétendu que cette occupation était la preuve d'une organisation réfléchie et contemplative, et il l'avait emmené sans autre recommandation. La grande mine de ce gentilhomme, pour le compte duquel il se crut engagé, avait séduit Planchet – c'était le nom du Picard ; il y eut chez lui un léger désappointement lorsqu'il vit que la place était déjà prise par un confrère nommé Mousqueton, et lorsque Porthos lui eut signifié que son état de maison, quoique grand, ne comportait pas deux domestiques, et qu'il lui fallait entrer au service de d'Artagnan. Cependant, lorsqu'il assista au dîner que donnait son maître et qu'il vit celui-ci tirer en payant une poignée d'or de sa poche, il crut sa fortune faite et remercia le Ciel d'être tombé en la possession d'un pareil Crésus.

Athos, de son côté, avait un valet qu'il avait dressé à son service d'une façon toute particulière, et que l'on appelait Grimaud. Il était fort silencieux, ce digne seigneur. Nous parlons d'Athos, bien entendu. Sa réserve, sa sauvagerie et son mutisme en faisaient presque un vieillard ; il avait donc, pour ne point déroger[1] à ses habitudes, habitué Grimaud à lui obéir sur un simple geste ou sur un simple mouvement des lèvres. Il ne lui parlait que dans des circonstances suprêmes.

Quelquefois Grimaud, qui craignait son maître comme le feu, tout en ayant pour sa personne un grand attachement et pour son génie une grande vénération, croyait avoir parfaitement compris ce qu'il désirait, s'élançait pour exécuter l'ordre reçu, et faisait précisément le contraire. Alors Athos haussait les épaules et, sans se mettre en colère, rossait Grimaud. Ces jours-là, il parlait un peu.

Quant à Aramis, son laquais s'appelait Bazin. Grâce à l'espérance qu'avait son maître d'entrer un jour dans

_____
1. Manquer.

75

les ordres, il était toujours vêtu de noir, comme doit l'être le serviteur d'un homme d'Église.

D'Artagnan, qui était fort curieux de sa nature, comme sont les gens, du reste, qui ont le génie de l'intrigue, fit tous ses efforts pour savoir ce qu'étaient au juste Athos, Porthos et Aramis ; car, sous ces noms de guerre, chacun des jeunes gens cachait son nom de gentilhomme, Athos surtout, qui sentait son grand seigneur d'une lieue. Il s'adressa donc à Porthos pour avoir des renseignements sur Athos et Aramis, et à Aramis pour connaître Porthos.

Malheureusement, Porthos lui-même ne savait de la vie de son silencieux camarade que ce qui en avait transpiré. On disait qu'il avait eu de grands malheurs dans ses affaires amoureuses, et qu'une affreuse trahison avait empoisonné à jamais la vie de ce galant homme. Quelle était cette trahison ? Tout le monde l'ignorait.

Quant à Porthos, excepté son véritable nom, que M. de Tréville savait seul, ainsi que celui de ses deux camarades, sa vie était facile à connaître. Vaniteux et indiscret, on voyait à travers lui comme à travers un cristal. La seule chose qui eût pu égarer l'investigateur eût été que l'on eût cru tout le bien qu'il disait de lui. Quant à Aramis, tout en ayant l'air de n'avoir aucun secret, c'était un garçon tout confit de mystères, répondant peu aux questions qu'on lui faisait sur les autres, et éludant celles que l'on faisait sur lui-même.

D'Artagnan ne put, quelque peine qu'il se donnât, en savoir davantage sur ses trois nouveaux amis. Il prit donc son parti de croire dans le présent tout ce qu'on disait de leur passé, espérant des révélations plus sûres et plus étendues de l'avenir.

La vie des quatre jeunes gens était devenue commune ; d'Artagnan, qui n'avait aucune habitude, puisqu'il arrivait de sa province et tombait au milieu d'un monde tout nouveau pour lui, prit aussitôt les habitudes de ses amis.

On se levait vers huit heures en hiver, vers six heures en été, et l'on allait prendre le mot d'ordre et l'air des affaires chez M. de Tréville. D'Artagnan, bien qu'il ne fût pas mousquetaire, en faisait le service avec une ponctualité touchante : il était toujours de garde, parce qu'il tenait toujours compagnie à celui de ses trois amis qui montait la sienne. On le connaissait à l'hôtel des mousquetaires, et chacun le tenait pour un bon camarade ; M. de Tréville, qui l'avait apprécié du premier coup d'œil, et qui lui portait une véritable affection, ne cessait de le recommander au roi.

De leur côté, les trois mousquetaires aimaient fort leur jeune camarade. L'amitié qui unissait ces quatre hommes, et le besoin de se voir trois ou quatre fois par jour, soit pour duel, soit pour affaires, soit pour plaisir, les faisaient sans cesse courir l'un après l'autre comme des ombres ; et l'on rencontrait toujours les inséparables se cherchant du Luxembourg à la place Saint-Sulpice, ou de la rue du Vieux-Colombier au Luxembourg.

En attendant, les promesses de M. de Tréville allaient leur train. Un beau jour, le roi commanda à M. le chevalier des Essarts de prendre d'Artagnan comme cadet dans sa compagnie des gardes. D'Artagnan endossa en soupirant cet habit, qu'il eût voulu, au prix de dix années de son existence, troquer contre la casaque de mousquetaire. Mais M. de Tréville promit cette faveur après un noviciat de deux ans, noviciat qui pouvait être abrégé au reste, si l'occasion se présentait pour d'Artagnan de rendre quelque service au roi ou de faire quelque action d'éclat. D'Artagnan se retira sur cette promesse et, dès le lendemain, commença son service.

Alors ce fut le tour d'Athos, de Porthos et d'Aramis de monter la garde avec d'Artagnan quand il était de garde. La compagnie de M. le chevalier des Essarts prit ainsi quatre hommes au lieu d'un, le jour où elle prit d'Artagnan.

8

Une intrigue de cour

Cependant les quarante pistoles du roi Louis XIII,
ainsi que toutes les choses de ce monde, après avoir
eu un commencement avaient eu une fin, et depuis
cette fin nos quatre compagnons étaient tombés dans
la gêne. On eut alors, comme d'habitude, recours à
M. de Tréville, qui fit quelques avances sur la solde ;
mais ces avances ne pouvaient conduire bien loin trois
mousquetaires qui avaient déjà force comptes arriérés,
et un garde qui n'en avait pas encore.

Alors la gêne devint de la détresse ; on vit les
affamés suivis de leurs laquais courir les quais et les
corps de garde, ramassant chez leurs amis du dehors
tous les dîners qu'ils purent trouver ; car, suivant l'avis
d'Aramis, on devait dans la prospérité semer des repas
à droite et à gauche pour en récolter quelques-uns
dans la disgrâce.

D'Artagnan réfléchit que cette coalition de quatre hommes jeunes, braves, entreprenants et actifs devait avoir un autre but que des promenades déhanchées, des leçons d'escrime et des lazzi[1] plus ou moins spirituels.

Il y songeait, lui, et sérieusement même, se creusant la cervelle pour trouver une direction à cette force unique quatre fois multipliée avec laquelle il ne doutait pas que, comme avec le levier que cherchait Archimède, on ne parvînt à soulever le monde, – lorsque l'on frappa doucement à la porte. D'Artagnan réveilla Planchet et lui ordonna d'aller ouvrir.

Un homme fut introduit, de mine assez simple et qui avait l'air d'un bourgeois.

Il y eut un moment de silence pendant lequel les deux hommes se regardèrent comme pour faire une connaissance préalable, après quoi d'Artagnan s'inclina en signe qu'il écoutait.

— J'ai ma femme qui est lingère chez la reine, Monsieur, et qui ne manque ni de sagesse, ni de beauté. On me l'a fait épouser voilà bientôt trois ans, quoiqu'elle n'eût qu'un petit avoir, parce que M. de La Porte, le portemanteau[2] de la reine, est son parrain et la protège…

— Eh bien ! Monsieur ? demanda d'Artagnan.

— Eh bien, reprit le bourgeois, eh bien ! Monsieur, ma femme a été enlevée hier matin, comme elle sortait de sa chambre de travail.

— Et par qui votre femme a-t-elle été enlevée ?

---

1. Mauvaises plaisanteries (mot italien).
2. Officier qui portait le manteau de la reine.

— Je n'en sais rien sûrement, Monsieur, mais je soupçonne quelqu'un.

— Et quelle est cette personne que vous soupçonnez ?

— Je ne sais pas si je devrais vous dire que ce que je soupçonne…

— Monsieur, je vous ferai observer que je ne vous demande absolument rien, moi. C'est vous qui êtes venu. Faites donc à votre guise, il est encore temps de vous retirer.

— Non, Monsieur, non ; vous m'avez l'air d'un honnête jeune homme, et j'aurai confiance en vous. Je crois que ce n'est pas à cause de ses amours que ma femme a été arrêtée, mais à cause de celles d'une plus grande dame qu'elle.

— Ah ! ah ! serait-ce à cause des amours de Mme de Bois-Tracy ? fit d'Artagnan, qui voulut avoir l'air, vis-à-vis de son bourgeois, d'être au courant des affaires de la cour.

— Plus haut, Monsieur, plus haut.

— De Mme d'Aiguillon ?

— Plus haut encore.

— De Mme de Chevreuse ?

— Plus haut, beaucoup plus haut !

— De la…, d'Artagnan s'arrêta.

— Oui, Monsieur, répondit si bas, qu'à peine si on put l'entendre, le bourgeois épouvanté.

— Et avec qui ?

— Avec qui cela peut-il être, si ce n'est avec le duc de…

— Le duc de…

— Oui, Monsieur ! répondit le bourgeois, en donnant à sa voix une intonation plus sourde encore.

— Mais comment savez-vous tout cela, vous ?

— Je le sais par ma femme, Monsieur, par ma femme elle-même.

— Qui le sait, elle, par qui ?

— Par M. de La Porte. Ne vous ai-je pas dit qu'elle était la filleule de M. de La Porte, l'homme de confiance de la reine ? Eh bien, M. de La Porte l'avait mise près de Sa Majesté pour que notre pauvre reine au moins eût quelqu'un à qui se fier, abandonnée comme elle l'est par le roi, espionnée comme elle l'est par le cardinal, trahie comme elle l'est par tous.

— Ah ! ah ! voilà qui se dessine, dit d'Artagnan.

— Or ma femme est venue il y a quatre jours, Monsieur, et m'a confié que la reine, en ce moment-ci, avait de grandes craintes.

— Vraiment ?

— Oui, M. le cardinal, à ce qu'il paraît, la poursuit et la persécute plus que jamais.

— Vraiment ?

— Et la reine croit…

— Eh bien, que croit la reine ?

— Elle croit qu'on a écrit à M. le duc de Buckingham en son nom.

— Au nom de la reine ?

— Oui, pour le faire venir à Paris, et une fois venu à Paris, pour l'attirer dans quelque piège.

— Diable mais votre femme, mon cher Monsieur, qu'a-t-elle à faire dans tout cela ?

— On connaît son dévouement pour la reine, et l'on veut ou l'éloigner de sa maîtresse, ou l'intimider pour avoir les secrets de Sa Majesté, ou la séduire pour se servir d'elle comme d'un espion.

— C'est probable, dit d'Artagnan ; mais l'homme qui l'a enlevée, le connaissez-vous ?

— Je vous ai dit que je croyais le connaître.

— Son nom ?

— Je ne le sais pas ; ce que je sais seulement, c'est que c'est une créature du cardinal, son âme damnée.

— Mais vous l'avez vu ?

— Oui, ma femme me l'a montré un jour.

— A-t-il un signalement auquel on puisse le reconnaître ?

— Oh ! certainement, c'est un seigneur de haute mine, poil noir, teint basané, œil perçant, dents blanches et une cicatrice à la tempe.

— Une cicatrice à la tempe ! s'écria d'Artagnan, et avec cela dents blanches, œil perçant, teint basané, poil noir, et haute mine ; c'est mon homme de Meung !

— C'est votre homme, dites-vous ?

— Oui, oui ; mais cela ne fait rien à la chose. Non, je me trompe, cela la simplifie beaucoup, au contraire si votre homme est le mien, je ferai d'un coup deux vengeances, voilà tout ; mais où rejoindre cet homme ?

— Je n'en sais rien.

— Vous n'avez aucun renseignement sur sa demeure ?

— Aucun.

— Diable ! diable ! murmura d'Artagnan, tout ceci est bien vague ; par qui avez-vous su l'enlèvement de votre femme ?

— Par M. de La Porte.

83

— Vous a-t-il donné quelque détail ?

— Il n'en avait aucun.

— Et vous n'avez rien appris d'un autre côté ?

— Si fait, j'ai reçu…

— Quoi ?

— Mais je ne sais pas si je ne commets pas une grande imprudence ?

— Vous revenez encore là-dessus ; cependant je vous ferai observer que, cette fois, il est un peu tard pour reculer.

— Aussi je ne recule pas, mordieu ! s'écria le bourgeois en jurant pour se monter la tête. D'ailleurs, foi de Bonacieux…

— Vous vous appelez Bonacieux ? interrompit d'Artagnan.

— Oui, c'est mon nom.

— Vous disiez donc ; foi de Bonacieux ! pardon si je vous ai interrompu ; mais il me semblait que ce nom ne m'était pas inconnu.

— C'est possible, Monsieur. Je suis votre proprié-taire.

— Ah ! ah ! fit d'Artagnan en se soulevant à demi et en saluant, vous êtes mon propriétaire ?

— Oui, Monsieur, oui. Et comme depuis trois mois que vous êtes chez moi, et que distrait sans doute par vos grandes occupations vous avez oublié de me payer mon loyer ; comme, dis-je, je ne vous ai pas tourmenté un seul instant, j'ai pensé que vous auriez égard à ma délicatesse.

— Comment donc ! mon cher Monsieur Bona-cieux, reprit d'Artagnan, croyez que je suis plein de reconnaissance pour un pareil procédé, et que, comme je vous l'ai dit, si je puis vous être bon à quelque chose…

— Je vous crois, Monsieur, je vous crois, et comme j'allais vous le dire, foi de Bonacieux, j'ai confiance en vous.

— Achevez donc ce que vous avez commencé à me dire.

Le bourgeois tira un papier de sa poche, et le présenta à d'Artagnan.

— Une lettre ! fit le jeune homme.

— Que j'ai reçue ce matin.

D'Artagnan l'ouvrit, et comme le jour commençait à baisser, il s'approcha de la fenêtre. Le bourgeois le suivit.

— « Ne cherchez pas votre femme, lut d'Artagnan, elle vous sera rendue quand on n'aura plus besoin d'elle. Si vous faites une seule démarche pour la retrouver, vous êtes perdu. » Voilà qui est positif, continua d'Artagnan ; mais après tout, ce n'est qu'une menace.

— Oui, mais cette menace m'épouvante ; moi, Monsieur, je ne suis pas homme d'épée du tout, et j'ai peur de la Bastille.

— Hum ! fit d'Artagnan ; mais c'est que je ne me soucie pas plus de la Bastille que vous, moi. S'il ne s'agissait que d'un coup d'épée, passe encore.

— Cependant, Monsieur, j'avais bien compté sur vous dans cette occasion.

— Oui ?

— Vous voyant sans cesse entouré de mousquetaires à l'air fort superbe, et reconnaissant que ces mousquetaires étaient ceux de M. de Tréville, et par conséquent des ennemis du cardinal, j'avais pensé que vous et vos amis, tout en rendant justice à notre pauvre reine, seriez enchantés de jouer un mauvais tour à Son Éminence.

— Sans doute.

— Et puis j'avais pensé que, me devant trois mois de loyer dont je ne vous ai jamais parlé...

— Oui, oui, vous m'avez déjà donné cette raison, et je la trouve excellente.

— Comptant de plus, tant que vous me ferez l'honneur de rester chez moi, ne jamais vous parler de votre loyer à venir...

— Très bien.

— Et ajoutez à cela, si besoin est, comptant vous offrir une cinquantaine de pistoles si, contre toute probabilité, vous vous trouviez gêné en ce moment.

— À merveille ; mais vous êtes donc riche, mon cher Monsieur Bonacieux ?

— Je suis à mon aise. Monsieur, c'est le mot ; j'ai amassé quelque chose comme deux ou trois mille écus de rente dans le commerce de la mercerie ; de sorte que, vous comprenez, Monsieur... Ah ! mais..., s'écria le bourgeois.

— Quoi ? demanda d'Artagnan.

— Que vois-je là ?

— Où ?

— Dans la rue, en face de vos fenêtres, dans l'embrasure de cette porte : un homme enveloppé dans un manteau.

— C'est lui ! s'écrièrent à la fois d'Artagnan et le bourgeois, chacun d'eux en même temps ayant reconnu son homme.

— Ah ! cette fois-ci, s'écria d'Artagnan en sautant sur son épée, cette fois-ci, il ne m'échappera pas.

Et tirant son épée du fourreau, il se précipita hors de l'appartement.

Sur l'escalier, il rencontra Athos et Porthos qui venaient le voir. Ils s'écartèrent, d'Artagnan passa entre eux comme un trait.

— Ah çà, où cours-tu ainsi ? lui crièrent à la fois les deux mousquetaires.

— L'homme de Meung ! répondit d'Artagnan, et il disparut.

D'Artagnan avait plus d'une fois raconté à ses amis son aventure avec l'inconnu, ainsi que l'apparition de la belle voyageuse à laquelle cet homme avait paru confier une si importante missive.

Ils comprirent donc, sur les quelques mots échappés à d'Artagnan, de quelle affaire il était question, et comme ils pensèrent qu'après avoir rejoint son homme ou l'avoir perdu de vue, d'Artagnan finirait toujours par remonter chez lui, ils continuèrent leur chemin.

Lorsqu'ils entrèrent dans la chambre de d'Artagnan, la chambre était vide : le propriétaire, craignant les suites de la rencontre qui allait sans doute avoir lieu entre le jeune homme et l'inconnu, avait, par suite de l'exposition qu'il avait faite lui-même de son caractère, jugé qu'il était prudent de décamper.

9

D'Artagnan se dessine

Comme l'avaient prévu Athos et Porthos, au bout d'une demi-heure d'Artagnan rentra. Cette fois encore il avait manqué son homme, qui avait disparu comme par enchantement. Pendant que d'Artagnan courait les rues et frappait aux portes, Aramis avait rejoint ses deux compagnons, de sorte qu'en revenant chez lui, d'Artagnan trouva la réunion au grand complet.

— Eh bien ? dirent ensemble les trois mousquetaires en voyant entrer d'Artagnan, la sueur sur le front et la figure bouleversée par la colère.

— Eh bien, s'écria celui-ci en jetant son épée sur le lit, il faut que cet homme soit le diable en personne ; il a disparu comme un fantôme, comme une ombre, comme un spectre.

— Croyez-vous aux apparitions ? demanda Athos à Porthos.

— Moi, je ne crois que ce que j'ai vu, et comme je n'ai jamais vu d'apparitions, je n'y crois pas.

— Dans tous les cas, homme ou diable, corps ou ombre, illusion ou réalité, cet homme est né pour ma damnation, car sa fuite nous fait manquer une affaire superbe, Messieurs, une affaire dans laquelle il y avait cent pistoles et peut-être plus à gagner.

— Comment cela ? dirent à la fois Porthos et Aramis.

Et alors il raconta mot à mot à ses amis ce qui venait de se passer entre lui et son hôte, et comment l'homme qui avait enlevé la femme du digne propriétaire était le même avec lequel il avait eu maille à partir à l'hôtellerie du *Franc Meunier*.

— Votre affaire n'est pas mauvaise, dit Athos, et l'on pourra tirer de ce brave homme cinquante à soixante pistoles. Maintenant, reste à savoir si cinquante à soixante pistoles valent la peine de risquer quatre têtes.

— Mais faites attention, s'écria d'Artagnan, qu'il y a une femme dans cette affaire, une femme enlevée, une femme qu'on menace sans doute, qu'on torture peut-être, et tout cela parce qu'elle est fidèle à sa maîtresse.

— Prenez garde, d'Artagnan, prenez garde, dit Aramis, vous vous échauffez un peu trop, à mon avis, sur le sort de Mme Bonacieux. La femme a été créée pour notre perte, et c'est d'elle que nous viennent toutes nos misères.

— Ce n'est point de Mme Bonacieux que je m'inquiète, s'écria d'Artagnan, mais de la reine, que le roi abandonne, que le cardinal persécute, et qui voit tomber, les unes après les autres, les têtes de tous ses amis.

— Et, reprit Athos, le mercier vous a dit, d'Artagnan, que la reine pensait qu'on avait fait venir Buckingham sur un faux avis ?

— Elle en a peur.

— Attendez donc, dit Aramis.

— Quoi ? demanda Porthos.

— Allez toujours, je cherche à me rappeler des circonstances.

— Et maintenant je suis convaincu, dit d'Artagnan, que l'enlèvement de cette femme de la reine se rattache aux événements dont nous parlons, et peut-être à la présence de M. de Buckingham à Paris.

En ce moment, un bruit précipité de pas retentit dans l'escalier, la porte s'ouvrit avec fracas, et le malheureux mercier s'élança dans la chambre où se tenait le conseil.

— Ah ! Messieurs, s'écria-t-il, sauvez-moi, au nom du Ciel, sauvez-moi ! Il y a quatre hommes qui viennent pour m'arrêter ; sauvez-moi, sauvez-moi !

Porthos et Aramis se levèrent.

— Un moment, s'écria d'Artagnan en leur faisant signe de repousser au fourreau leurs épées à demi tirées ; un moment, ce n'est pas du courage qu'il faut ici, c'est de la prudence.

En ce moment, les quatre gardes apparurent à la porte de l'antichambre, et voyant quatre mousquetaires debout et l'épée au côté, hésitèrent à aller plus loin.

— Entrez, Messieurs, entrez, cria d'Artagnan ; vous êtes ici chez moi, et nous sommes tous de fidèles serviteurs du roi et de M. le cardinal.

— Alors, Messieurs, vous ne vous opposerez pas à ce que nous exécutions les ordres que nous avons reçus ? demanda celui qui paraissait le chef de l'escouade.

— Au contraire, Messieurs, et nous vous prêterions main-forte, si besoin était.

— Mais vous m'avez promis…, dit tout bas le pauvre mercier.

— Nous ne pouvons vous sauver qu'en restant libres, répondit rapidement et tout bas d'Artagnan, et si nous faisons mine de vous défendre, on nous arrête avec vous.

— Il me semble, cependant…

— Venez, Messieurs, venez, dit tout haut d'Artagnan ; je n'ai aucun motif de défendre Monsieur. Je l'ai vu aujourd'hui pour la première fois, et encore à quelle occasion, il vous le dira lui-même, pour me venir réclamer le prix de mon loyer. Est-ce vrai, Monsieur Bonacieux ? Répondez !

— C'est la vérité pure, s'écria le mercier, mais Monsieur ne vous dit pas…

— Silence sur moi, silence sur mes amis, silence sur la reine surtout, ou vous perdriez tout le monde sans vous sauver. Allez, allez, Messieurs, emmenez cet homme !

Et d'Artagnan poussa le mercier tout étourdi aux mains des gardes, en lui disant :

— Vous êtes un maraud, mon cher ; vous venez me demander de l'argent, à moi ! à un mousquetaire ! En prison, Messieurs, encore une fois, emmenez-le en prison, et gardez-le sous clef le plus longtemps possible, cela me donnera du temps pour payer.

Les sbires se confondirent en remerciements et emmenèrent leur proie.

— Mais quel diable de vilenie avez-vous donc faite là ? dit Porthos lorsque les quatre amis se retrouvèrent seuls. Fi donc ! quatre mousquetaires laisser arrêter au milieu d'eux un malheureux qui crie à l'aide !

— Porthos, dit Aramis, Athos t'a déjà prévenu que tu étais un niais, et je me range de son avis.

— Ah ça, je m'y perds, dit Porthos, vous approuvez ce que d'Artagnan vient de faire ?

— Je le crois parbleu bien, dit Athos ; non seulement j'approuve ce qu'il vient de faire, mais encore je l'en félicite.

— Et maintenant, Messieurs, dit d'Artagnan sans se donner la peine d'expliquer sa conduite à Porthos, tous pour un, un pour tous, c'est notre devise, n'est-ce pas ?

— Cependant…, dit Porthos.

— Étends la main et jure ! s'écrièrent à la fois Athos et Aramis.

Vaincu par l'exemple, maugréant[1] tout bas, Porthos étendit la main, et les quatre amis répétèrent d'une seule voix la formule dictée par d'Artagnan :

— Tous pour un, un pour tous.

— C'est bien, que chacun se retire maintenant chez soi, dit d'Artagnan comme s'il n'avait fait autre chose que de commander toute sa vie, et attention, car à partir de ce moment, nous voilà aux prises avec le cardinal.

_____

1. Pestant, jurant.

10

Une souricière au XVIIᵉ siècle

L'invention de la souricière ne date pas de nos jours ;
dès que les sociétés, en se formant, eurent inventé une
police quelconque, cette police, à son tour inventa les
souricières.

Quand, dans une maison quelle qu'elle soit, on a
arrêté un individu soupçonné d'un crime quelconque,
on tient secrète l'arrestation ; on place quatre ou cinq
hommes en embuscade dans la première pièce, on
ouvre la porte à tous ceux qui frappent, on la referme
sur eux et on les arrête ; de cette façon, au bout de
deux ou trois jours, on tient à peu près tous les fami-
liers de l'établissement.

Voilà ce que c'est qu'une souricière.

On fit donc une souricière de l'appartement de
maître Bonacieux, et quiconque y apparut fut pris et
interrogé par les gens de M. le cardinal. Il va sans
dire que, comme une allée particulière conduisait au

premier étage qu'habitait d'Artagnan, ceux qui venaient chez lui étaient exemptés de toutes visites.

Quant à d'Artagnan, il ne bougeait pas de chez lui. Il avait converti sa chambre en observatoire. Des fenêtres il voyait arriver ceux qui venaient se faire prendre ; puis, comme il avait ôté les carreaux du plancher, qu'il avait creusé le parquet et qu'un simple plafond le séparait de la chambre au-dessous, où se faisaient les interrogatoires, il entendait tout ce qui se passait entre les inquisiteurs et les accusés.

Le soir du lendemain de l'arrestation du pauvre Bonacieux, comme Athos venait de quitter d'Artagnan pour se rendre chez M. de Tréville, comme neuf heures venaient de sonner, et comme Planchet, qui n'avait pas encore fait le lit, commençait sa besogne, on entendit frapper à la porte de la rue ; aussitôt cette porte s'ouvrit et se referma : quelqu'un venait de se prendre à la souricière.

D'Artagnan s'élança vers l'endroit décarrelé, se coucha ventre à terre et écouta.

Des cris retentirent bientôt, puis des gémissements qu'on cherchait à étouffer. D'interrogatoire, il n'en était pas question.

« Diable ! se dit d'Artagnan, il me semble que c'est une femme : on la fouille, ; elle résiste, – on la violente, – les misérables ! »

Et d'Artagnan, malgré sa prudence, se tenait à quatre pour ne pas se mêler à la scène qui se passait au-dessous de lui.

— Mais je vous dis que je suis la maîtresse de la maison, Messieurs ; je vous dis que je suis Mme Bonacieux ; je vous dis que j'appartiens à la reine ! s'écriait la malheureuse femme.

« Mme Bonacieux ! murmura d'Artagnan ; serais-je assez heureux pour avoir trouvé ce que tout le monde cherche ? »

— C'est justement vous que nous attendions, reprirent les interrogateurs.

La voix devint de plus en plus étouffée : un mouvement tumultueux fit retentir les boiseries. La victime résistait autant qu'une femme peut résister à quatre hommes.

— Pardon, Messieurs, par…, murmura la voix, qui ne fit plus entendre que des sons inarticulés.

— Ils la bâillonnent, ils vont l'entraîner, s'écria d'Artagnan en se redressant comme par un ressort. Mon épée ; bon, elle est à mon côté. Planchet !

— Monsieur ?

— Cours chercher Athos, Porthos et Aramis. L'un des trois sera sûrement chez lui, peut-être tous les trois seront-ils rentrés. Qu'ils prennent des armes, qu'ils viennent, qu'ils accourent. Ah ! je me souviens, Athos est chez M. de Tréville.

— Mais où allez-vous, Monsieur, où allez-vous ?

— Je descends par la fenêtre, s'écria d'Artagnan, afin d'être plus tôt arrivé ; toi, remets les carreaux, balaie le plancher, sors par la porte et cours où je te dis.

Et s'accrochant de la main au rebord de sa fenêtre, il se laissa tomber du premier étage, qui heureusement n'était pas élevé, sans se faire une écorchure.

Puis il alla aussitôt frapper à la porte en murmurant :

— Je vais me faire prendre à mon tour dans la souricière, et malheur aux chats qui se frotteront à pareille souris.

À peine le marteau eut-il résonné sous la main du jeune homme, que le tumulte cessa, que des pas s'approchèrent, que la porte s'ouvrit, et que d'Artagnan, l'épée nue, s'élança dans l'appartement de maître Bonacieux, dont la porte, sans doute mue par un ressort, se referma d'elle-même sur lui.

Alors ceux qui habitaient encore la malheureuse maison de Bonacieux et les voisins les plus proches entendirent de grands cris, des trépignements, un cliquetis d'épées et un bruit prolongé de meubles. Puis, un moment après, ceux qui, surpris par ce bruit, s'étaient mis aux fenêtres pour en connaître la cause, purent voir la porte se rouvrir et quatre hommes vêtus de noir non pas en sortir, mais s'envoler comme des corbeaux effarouchés, laissant par terre et aux angles des tables des plumes de leurs ailes, c'est-à-dire des loques de leurs habits et des bribes de leurs manteaux.

D'Artagnan, resté seul avec Mme Bonacieux, se retourna vers elle : la pauvre femme était renversée sur un fauteuil et à demi évanouie. D'Artagnan l'examina d'un coup d'œil rapide.

C'était une charmante femme de vingt-cinq à vingt-six ans, brune avec des yeux bleus, ayant un nez légèrement retroussé, des dents admirables, un teint marbré de rosé et d'opale.

Tandis que d'Artagnan examinait Mme Bonacieux, et en était aux pieds, il vit à terre un fin mouchoir de batiste, qu'il ramassa selon son habitude, et au coin duquel il reconnut le même chiffre qu'il avait vu au mouchoir qui avait failli lui faire couper la gorge avec Aramis.

Depuis ce temps, d'Artagnan se méfiait des mouchoirs armoriés ; il remit donc sans rien dire celui qu'il avait ramassé dans la poche de Mme Bonacieux. En ce moment, Mme Bonacieux reprenait ses sens. Elle ouvrit les yeux, regarda avec terreur autour d'elle, vit que l'appartement était vide, et qu'elle était seule avec son libérateur. Elle lui tendit aussitôt les mains en souriant. Mme Bonacieux avait le plus charmant sourire du monde.

— Ah ! Monsieur ! dit-elle, c'est vous qui m'avez sauvée ; permettez-moi que je vous remercie.

— Madame, dit d'Artagnan, je n'ai fait que ce que tout gentilhomme eût fait à ma place, vous ne me devez donc aucun remerciement.

— Si fait, Monsieur, si fait, et j'espère vous prouver que vous n'avez pas rendu service à une ingrate. Mais que me voulaient donc ces hommes, que j'ai pris d'abord pour des voleurs, et pourquoi M. Bonacieux n'est-il point ici ?

— Madame, ces hommes étaient bien autrement dangereux que ne pourraient être des voleurs, car ce sont des agents de M. le cardinal, et quant à votre mari, M. Bonacieux, il n'est point ici parce qu'hier on est venu le prendre pour le conduire à la Bastille.

— Mon mari à la Bastille ! s'écria Mme Bonacieux ; oh ! mon Dieu ! qu'a-t-il donc fait ? pauvre cher homme ! lui, l'innocence même !

Et quelque chose comme un sourire perçait sur la figure encore tout effrayée de la jeune femme.

— Ce qu'il a fait, Madame ? dit d'Artagnan. Je crois que son seul crime est d'avoir à la fois le bonheur et le malheur d'être votre mari.

— Mais, Monsieur, vous savez donc...

— Je sais que vous avez été enlevée, Madame.

— Et par qui ? Le savez-vous ? Oh ! si vous le savez, dites-le-moi.

— Par un homme de quarante à quarante-cinq ans, aux cheveux noirs, au teint basané, avec une cicatrice à la tempe gauche.

— C'est cela, c'est cela ; mais son nom ?

— Ah ! son nom ? c'est ce que j'ignore.

— Et mon mari savait-il que j'avais été enlevée ?

— Il en avait été prévenu par une lettre que lui avait écrite le ravisseur lui-même.

— Et soupçonne-t-il, demanda Mme Bonacieux avec embarras, la cause de cet événement ?

— Il l'attribuait, je crois, à une cause politique.

— J'en ai douté d'abord, et maintenant je le pense comme lui.

— Mais, continua d'Artagnan, comment vous êtes-vous enfuie ?

— J'ai profité d'un moment où l'on m'a laissée seule, et comme je savais depuis ce matin à quoi m'en tenir sur mon enlèvement, à l'aide de mes draps je suis descendue par la fenêtre ; alors, comme je croyais mon mari ici, je suis accourue.

— Pour vous mettre sous sa protection ?

— Oh ! non, pauvre cher homme, je savais bien qu'il était incapable de me défendre ; mais comme il pouvait nous servir à autre chose, je voulais le prévenir.

— De quoi ?

— Oh ! ceci n'est pas mon secret, je ne puis donc pas vous le dire.

— D'ailleurs, dit d'Artagnan, pardon, Madame, si, tout garde que je suis, je vous rappelle à la prudence, d'ailleurs je crois que nous ne sommes pas ici en lieu opportun pour faire des confidences. Les hommes que j'ai mis en fuite vont revenir avec main-forte ; s'ils nous retrouvent ici, nous sommes perdus. J'ai bien fait prévenir trois de mes amis, mais qui sait si on les aura trouvés chez eux !

— Oui, oui, vous avez raison, s'écria Mme Bonacieux effrayée ; fuyons, sauvons-nous.

À ces mots, elle passa son bras sous celui de d'Artagnan et l'entraîna vivement.

— Mais où fuir ? dit d'Artagnan, où nous sauver ?

— Éloignons-nous d'abord de cette maison, puis après nous verrons.

Et la jeune femme et le jeune homme, sans se donner la peine de refermer la porte, descendirent rapidement la rue des Fossoyeurs, s'engagèrent dans la rue des Fossés-Monsieur-le-Prince et ne s'arrêtèrent qu'à la place Saint-Sulpice.

— Et maintenant, qu'allons-nous faire, demanda d'Artagnan, et où voulez-vous que je vous conduise ?

— Je suis fort embarrassée de vous répondre, je vous l'avoue, dit Mme Bonacieux ; mon intention était de faire prévenir M. de La Porte par mon mari, afin que M. de La Porte pût nous dire précisément ce qui s'était passé au Louvre depuis trois jours, et s'il n'y avait pas danger pour moi de m'y présenter.

— Mais moi, dit d'Artagnan, je puis aller prévenir M. de La Porte.

— Sans doute ; seulement il n'y a qu'un malheur : c'est qu'on connaît M. Bonacieux au Louvre et qu'on le laisserait passer, lui, tandis qu'on ne vous connaît pas, vous, et que l'on vous fermera la porte.

— Ah ! bah ! dit d'Artagnan, vous avez bien à quelque guichet[1] du Louvre un concierge qui vous est dévoué, et qui grâce à un mot d'ordre…

Mme Bonacieux regarda fixement le jeune homme.

— Et si je vous donnais ce mot d'ordre, dit-elle, l'oublieriez-vous aussitôt que vous vous en seriez servi ?

— Parole d'honneur, foi de gentilhomme ! dit d'Artagnan avec un accent à la vérité duquel il n'y avait pas à se tromper.

— Tenez, je vous crois ; vous avez l'air d'un brave jeune homme, d'ailleurs votre fortune est peut-être au bout de votre dévouement.

— Je ferai sans promesse et de conscience tout ce que je pourrai pour servir le roi et être agréable à la reine, dit d'Artagnan ; disposez donc de moi comme d'un ami.

— Mais moi, où me mettrez-vous pendant ce temps-là ?

— N'avez-vous pas une personne chez laquelle M. de La Porte puisse revenir vous prendre ?

— Non, je ne veux me fier à personne.

---

1. Petite porte pratiquée dans une grande.

— Attendez, dit d'Artagnan ; nous sommes à la porte d'Athos. Oui, c'est cela.

— Qu'est-ce qu'Athos ?

— Un de mes amis.

— Mais s'il est chez lui et qu'il me voie ?

— Il n'y est pas, et j'emporterai la clef après vous avoir fait entrer dans son appartement.

— Mais s'il revient ?

— Il ne reviendra pas ; d'ailleurs on lui dirait que j'ai amené une femme, et que cette femme est chez lui.

— Mais cela me compromettra très fort, savez-vous !

— Que vous importe ! on ne vous connaît pas ; d'ailleurs nous sommes dans une situation à passer par-dessus quelques convenances !

— Allons donc chez votre ami. Où demeure-t-il ?

— Rue Férou, à deux pas d'ici.

— Allons.

Et tous deux reprirent leur course. Comme l'avait prévu d'Artagnan, Athos n'était pas chez lui : il prit la clef, qu'on avait l'habitude de lui donner comme à un ami de la maison, monta l'escalier et introduisit Mme Bonacieux dans le petit appartement.

— Vous êtes chez vous, dit-il ; attendez, fermez la porte en dedans et n'ouvrez à personne, à moins que vous n'entendiez frapper trois coups ainsi : tenez !

Et il frappa trois fois : deux coups rapprochés l'un de l'autre et assez forts, un coup plus distant et plus léger.

— C'est bien, dit Mme Bonacieux ; maintenant, à mon tour de vous donner mes instructions.

— J'écoute.

— Présentez-vous au guichet du Louvre, du côté de la rue de l'Échelle, et demandez Germain.

— C'est bien. Après ?

— Il vous demandera ce que vous voulez, et alors vous lui répondrez par ces deux mots : Tours et Bruxelles. Aussitôt il se mettra à vos ordres.

— Et que lui ordonnerai-je ?

— D'aller chercher M. de La Porte, le valet de chambre de la reine.

— Et quand il l'aura été chercher et que M. de La Porte sera venu ?

— Vous me l'enverrez.

— C'est bien, mais où et comment vous reverrai-je ?

— Y tenez-vous beaucoup à me revoir ?

— Certainement.

— Eh bien ! reposez-vous sur moi de ce soin, et soyez tranquille.

— Je compte sur votre parole.

— Comptez-y.

D'Artagnan salua Mme Bonacieux en lui lançant le coup d'œil le plus amoureux qu'il lui fût possible de concentrer sur sa charmante petite personne, et tandis qu'il descendait l'escalier, il entendit la porte se fermer derrière lui à double tour. En deux bonds il fut au Louvre : comme il entrait au guichet de l'Échelle, dix heures sonnaient. Tous les événements que nous venons de raconter s'étaient succédé en une demi-heure.

Tout s'exécuta comme l'avait annoncé Mme Bonacieux. Au mot d'ordre convenu, Germain s'inclina ; dix minutes après, La Porte était dans la loge ; en deux mots, d'Artagnan le mit au fait et lui indiqua où était Mme Bonacieux. La Porte s'assura par deux fois de l'exactitude de l'adresse, et partit en courant. Cependant, à peine eut-il fait dix pas, qu'il revint.

— Jeune homme, dit-il à d'Artagnan, un conseil.

— Lequel ?

— Vous pourriez être inquiété pour ce qui vient de se passer.

— Vous croyez ?

— Oui.

— Avez-vous quelque ami dont la pendule retarde ?

— Eh bien ?

— Allez le voir pour qu'il puisse témoigner que vous étiez chez lui à neuf heures et demie. En justice, cela s'appelle un alibi.

D'Artagnan trouva le conseil prudent ; il prit ses jambes à son cou, il arriva chez M. de Tréville ; mais, au lieu de passer au salon avec tout le monde, il demanda à entrer dans son cabinet. Comme d'Artagnan était un des habitués de l'hôtel, on ne fit aucune difficulté d'accéder à sa demande ; et l'on alla prévenir M. de Tréville que son jeune compatriote, ayant quelque chose d'important à lui dire, sollicitait une audience particulière. Cinq minutes après, M. de Tréville demandait à d'Artagnan ce qu'il pouvait faire pour son service et ce qui lui valait sa visite à une heure si avancée.

— Pardon, Monsieur ! dit d'Artagnan, qui avait profité du moment où il était resté seul pour retarder l'horloge de trois quarts d'heure ; j'ai pensé que, comme il n'était que neuf heures vingt-cinq minutes, il était encore temps de me présenter chez vous.

— Neuf heures vingt-cinq minutes ! s'écria M. de Tréville en regardant sa pendule ; mais c'est impossible !

— Voyez plutôt, Monsieur, dit d'Artagnan, voilà qui fait foi.

— C'est juste, dit M. de Tréville, j'aurais cru qu'il était plus tard. Mais voyons, que me voulez-vous ?

Alors d'Artagnan fit à M. de Tréville une longue histoire sur la reine. Il lui exposa les craintes qu'il avait conçues à l'égard de Sa Majesté ; il lui raconta ce qu'il avait entendu dire des projets du cardinal à l'endroit de Buckingham, et tout cela avec une tranquillité et un aplomb dont M. de Tréville fut d'autant mieux la dupe, que lui-même avait remarqué quelque chose de nouveau entre le cardinal, le roi et la reine.

À dix heures sonnant, d'Artagnan quitta M. de Tréville, qui le remercia de ses renseignements, lui recommanda d'avoir toujours à cœur le service du roi et de la reine, et rentra dans le salon. Mais, au bas de l'escalier, d'Artagnan se souvint qu'il avait oublié sa canne : en conséquence, il remonta précipitamment, rentra dans le cabinet, d'un tour de doigt remit la pendule à son heure, pour qu'on ne pût pas s'apercevoir, le lendemain, qu'elle avait été dérangée, et sûr désormais qu'il y avait un témoin pour prouver son alibi, il descendit l'escalier et se trouva bientôt dans la rue.

11

L'intrigue se noue

Sa visite faite à M. de Tréville, d'Artagnan prit, tout
pensif, le plus long pour rentrer chez lui.

À quoi pensait d'Artagnan, qu'il s'écartait ainsi de
sa route, regardant les étoiles du ciel, et tantôt soupirant, tantôt souriant ?

Il pensait à Mme Bonacieux. Pour un apprenti
mousquetaire, la jeune femme était presque une idéa-
lité amoureuse. Jolie, mystérieuse, initiée à presque
tous les secrets de cour, qui reflétaient tant de charmante gravité sur ses traits gracieux, elle était soup-
çonnée de n'être pas insensible, ce qui est un attrait
irrésistible pour les amants novices ; de plus, d'Artagnan l'avait délivrée des mains de ces démons qui
voulaient la fouiller et la maltraiter, et cet important
service avait établi entre elle et lui un de ces sentiments de reconnaissance qui prennent si facilement
un plus tendre caractère.

D'Artagnan, tout en réfléchissant à ses futures amours, remontait la rue du Cherche-Midi ou Chasse-Midi, ainsi qu'on l'appelait alors. Comme il se trouvait dans le quartier d'Aramis, l'idée lui était venue d'aller faire une visite à son ami, pour lui donner quelques explications sur les motifs qui lui avaient fait envoyer Planchet avec invitation de se rendre immédiatement à la souricière.

D'Artagnan venait de dépasser la rue Cassette et reconnaissait déjà la porte de la maison de son ami, lorsqu'il aperçut quelque chose comme une ombre qui sortait de la rue Servandoni. Ce quelque chose était enveloppé d'un manteau, et d'Artagnan crut d'abord que c'était un homme ; mais, à la petitesse de la taille, à l'incertitude de la démarche, à l'embarras du pas, il reconnut bientôt une femme. D'Artagnan fut intrigué.

« Pardieu ! se dit d'Artagnan, il serait drôle que cette colombe attardée cherchât la maison de notre ami. Mais, sur mon âme, cela y ressemble fort. Ah ! mon cher Aramis, pour cette fois, j'en veux avoir le cœur net. »

Et d'Artagnan, se faisant le plus mince qu'il put, s'abrita dans le côté le plus obscur de la rue, près d'un banc de pierre situé au fond d'une niche.

La jeune femme continua de s'avancer, car outre la légèreté de son allure, qui l'avait trahie, elle venait de faire entendre une petite toux qui dénonçait une voix des plus fraîches. D'Artagnan pensa que cette toux était un signal.

Cependant, soit qu'on eût répondu à cette toux par un signe équivalent qui avait fixé les irrésolutions de la nocturne chercheuse, soit que sans secours étranger elle eût reconnu qu'elle était arrivée au bout de sa course, elle s'approcha résolument du volet d'Aramis et frappa à trois intervalles égaux avec son doigt recourbé.

« C'est bien chez Aramis, murmura d'Artagnan. Ah ! Monsieur l'hypocrite ! je vous y prends à faire de la théologie ! »

Les trois coups étaient à peine frappés, que la croisée intérieure s'ouvrit et qu'une lumière parut à travers les vitres du volet.

« Ah ! ah ! fit l'écouteur non pas aux portes, mais aux fenêtres, ah ! la visite était attendue. Allons, le volet va s'ouvrir et la dame entrera par escalade. Très bien ! »

Mais, au grand étonnement de d'Artagnan, le volet resta fermé. De plus, la lumière qui avait flamboyé un instant, disparut, et tout rentra dans l'obscurité.

D'Artagnan pensa que cela ne pouvait durer ainsi, et continua de regarder de tous ses yeux et d'écouter de toutes ses oreilles.

Il avait raison : au bout de quelques secondes, deux coups secs retentirent dans l'intérieur.

La jeune femme de la rue répondit par un seul coup, et le volet s'entrouvrit.

D'Artagnan vit que la jeune femme tirait de sa poche un objet blanc qu'elle déploya vivement et qui prit la forme d'un mouchoir. Cet objet déployé, elle en fit remarquer le coin à son interlocuteur.

Cela rappela à d'Artagnan ce mouchoir qu'il avait trouvé aux pieds de Mme Bonacieux, lequel lui avait rappelé celui qu'il avait trouvé aux pieds d'Aramis.

Que diable pouvait donc signifier ce mouchoir ?

Placé où il était, d'Artagnan ne pouvait voir le visage d'Aramis, nous disons d'Aramis, parce que le jeune homme ne faisait aucun doute que ce fût son ami qui dialoguât de l'intérieur avec la dame de l'extérieur ; la curiosité l'emporta donc sur la prudence, et, profitant de la préoccupation dans laquelle la vue du mouchoir paraissait plonger les deux personnages que nous avons mis en scène, il sortit de sa cachette, et prompt comme l'éclair, mais étouffant le bruit de ses pas, il alla se coller à un angle de la muraille, d'où son œil pouvait parfaitement plonger dans l'intérieur de l'appartement d'Aramis.

Arrivé là, d'Artagnan pensa[1] jeter un cri de surprise : ce n'était pas Aramis qui causait avec la nocturne visiteuse, c'était une femme. Seulement, d'Artagnan y voyait assez pour reconnaître la forme de ses vêtements, mais pas assez pour distinguer ses traits.

Au même instant, la femme de l'appartement tira un second mouchoir de sa poche, et l'échangea avec celui qu'on venait de lui montrer. Puis, quelques mots furent prononcés entre les deux femmes. Enfin le volet se referma ; la femme qui se trouvait à l'extérieur de la fenêtre se retourna, et vint passer à quatre pas de d'Artagnan en abaissant la coiffe de sa mante ; mais la précaution avait été prise trop tard, d'Artagnan avait déjà reconnu Mme Bonacieux.

Mme Bonacieux ! Le soupçon que c'était elle lui avait déjà traversé l'esprit quand elle avait tiré le mouchoir de sa poche ; mais quelle probabilité

_____

1. Faillit, fut sur le point de.

que Mme Bonacieux, qui avait envoyé chercher M. de La Porte pour se faire reconduire par lui au Louvre, courût les rues de Paris seule à onze heures et demie du soir, au risque de se faire enlever une seconde fois ?

Il fallait donc que ce fût pour une affaire bien importante ; et quelle est l'affaire importante d'une femme de vingt-cinq ans ? L'amour.

Mais était-ce pour son compte ou pour le compte d'une autre personne qu'elle s'exposait à de semblables hasards ? Voilà ce que se demandait à lui-même le jeune homme, que le démon de la jalousie mordait au cœur ni plus ni moins qu'un amant en titre.

Il y avait, au reste, un moyen bien simple de s'assurer où allait Mme Bonacieux : c'était de la suivre. Ce moyen était si simple, que d'Artagnan l'employa tout naturellement et d'instinct.

Mais, à la vue du jeune homme qui se détachait de la muraille comme une statue de sa niche, et au bruit des pas qu'elle entendit retentir derrière elle, Mme Bonacieux jeta un petit cri et s'enfuit.

D'Artagnan courut après elle. Ce n'était pas une chose difficile pour lui que de rejoindre une femme embarrassée dans son manteau. Il la rejoignit donc au tiers de la rue dans laquelle elle s'était engagée. La malheureuse était épuisée, non pas de fatigue, mais de terreur, et quand d'Artagnan lui posa la main sur l'épaule, elle tomba sur un genou en criant d'une voix étranglée :

— Tuez-moi si vous voulez, mais vous ne saurez rien.

D'Artagnan la releva en lui passant le bras autour de la taille ; mais comme il sentait à son poids qu'elle était sur le point de se trouver mal, il s'empressa de la rassurer par des protestations de dévouement. La jeune femme crut reconnaître le son de cette voix : elle rouvrit les yeux, jeta un regard sur l'homme qui lui avait fait si grand-peur, et, reconnaissant d'Artagnan, elle poussa un cri de joie.

— Oh ! c'est vous, c'est vous ! dit-elle ; merci, mon Dieu !

— Oui, c'est moi, dit d'Artagnan, moi que Dieu a envoyé pour veiller sur vous.

— Était-ce dans cette intention que vous me suiviez ? demanda avec un sourire plein de coquetterie la jeune femme.

— Non, dit d'Artagnan, non, je l'avoue ; c'est le hasard qui m'a mis sur votre route ; j'ai vu une femme frapper à la fenêtre d'un de mes amis…

— D'un de vos amis ? interrompit Mme Bonacieux.

— Sans doute ; Aramis est de mes meilleurs amis.

— Aramis ! qu'est-ce que cela ?

— Ce n'est donc pas lui que vous veniez chercher ?

— Pas le moins du monde. D'ailleurs, vous l'avez bien vu, la personne à qui j'ai parlé est une femme.

— C'est vrai ; mais cette femme est des amies d'Aramis.

— Je n'en sais rien.

— Puisqu'elle loge chez lui.

— Cela ne me regarde pas.

— Mais qui est-elle ?

— Oh ! cela n'est point mon secret.

110

— Chère Madame Bonacieux, vous êtes charmante ; mais en même temps vous êtes la femme la plus mystérieuse...

— Est-ce que je perds à cela ?

— Non ; vous êtes, au contraire, adorable.

— Alors, donnez-moi le bras.

— Bien volontiers. Et maintenant ?

— Maintenant, conduisez-moi.

— Où cela ?

— Où je vais.

D'Artagnan offrit son bras à Mme Bonacieux, qui s'y suspendit, et tous deux gagnèrent le haut de la rue de La Harpe. Arrivée là, la jeune femme parut hésiter, comme elle avait déjà fait dans la rue de Vaugirard. Cependant, à de certains signes, elle sembla reconnaître une porte ; et s'approchant de cette porte :

— Et maintenant, Monsieur, dit-elle, c'est ici que j'ai affaire ; mille fois merci de votre honorable compagnie, qui m'a sauvée de tous les dangers auxquels, seule, j'eusse été exposée.

— Et vous n'aurez plus rien à craindre en revenant ?

— Je n'aurai à craindre que les voleurs.

— N'est-ce donc rien ?

— Que pourraient-ils me prendre ? je n'ai pas un denier sur moi.

— Vous oubliez ce beau mouchoir brodé, armorié.

— Lequel ?

— Celui que j'ai trouvé à vos pieds et que j'ai remis dans votre poche.

— Monsieur, dit la jeune femme, vous me fatiguez fort, je vous le jure, avec ces questions.

111

— Mais vous, si prudente, Madame, songez-y, si vous étiez arrêtée avec ce mouchoir, et que ce mouchoir fût saisi, ne seriez-vous pas compromise ?

— Pourquoi cela, les initiales ne sont-elles pas les miennes : C. B., Constance Bonacieux ?

— Ou Camille de Bois-Tracy.

— Silence, Monsieur, silence ! Ah ! puisque les dangers que je cours pour moi-même ne vous arrêtent pas, songez à ceux que vous pouvez courir, vous !

— Moi ?

— Oui, vous. Il y a danger de la prison, il y a danger de la vie à me connaître.

— Alors, je ne vous quitte plus.

— Monsieur, dit la jeune femme suppliant et joignant les mains, Monsieur, au nom du Ciel, au nom de l'honneur d'un militaire, au nom de la courtoisie d'un gentilhomme, éloignez-vous ; tenez, voilà minuit qui sonne, c'est l'heure où l'on m'attend.

— Madame, dit le jeune homme en s'inclinant, je ne sais rien refuser à qui me demande ainsi ; soyez contente, je m'éloigne.

— Mais vous ne me suivrez pas, vous ne m'épierez pas ?

— Je rentre chez moi à l'instant.

— Ah ! je le savais bien, que vous étiez un brave jeune homme ! s'écria Mme Bonacieux en lui tendant une main et en posant l'autre sur le marteau d'une petite porte presque perdue dans la muraille.

D'Artagnan saisit la main qu'on lui tendait et la baisa ardemment. Et comme s'il ne se fût senti la force de se détacher de la main qu'il tenait que par une secousse, il s'éloigna tout courant, tandis que Mme Bonacieux frappait, comme au volet, trois coups lents et réguliers ; puis, arrivé à l'angle de la rue, il se retourna : la porte s'était ouverte et refermée, la jolie mercière avait disparu.

D'Artagnan continua son chemin, il avait donné sa parole de ne pas épier Mme Bonacieux, et sa vie eût-elle dépendu de l'endroit où elle allait se rendre, ou de la personne qui devait l'accompagner, d'Artagnan serait rentré chez lui, puisqu'il avait dit qu'il y rentrait. Cinq minutes après, il était dans la rue des Fossoyeurs.

— Pauvre Athos, disait-il, il ne saura pas ce que cela veut dire. Il se sera endormi en m'attendant, ou il sera retourné chez lui, et en rentrant il aura appris qu'une femme y était venue. Une femme chez Athos ! Après tout, continua d'Artagnan, il y en avait bien une chez Aramis. Tout cela est fort étrange, et je serais bien curieux de savoir comment cela finira.

— Mal, Monsieur, mal, répondit une voix que le jeune homme reconnut pour celle de Planchet ; car tout en monologuant tout haut, à la manière des gens très préoccupés, il s'était engagé dans l'allée au fond de laquelle était l'escalier qui conduisait à sa chambre.

— Comment, mal ? que veux-tu dire, imbécile ? demanda d'Artagnan, qu'est-il donc arrivé ?

— Toutes sortes de malheurs.

— Lesquels ?

— D'abord M. Athos est arrêté.

— Arrêté ! Athos ! arrêté ! pourquoi ?

— On l'a trouvé chez vous ; on l'a pris pour vous.

— Et par qui a-t-il été arrêté ?

— Par la garde qu'ont été chercher les hommes noirs que vous avez mis en fuite.

— Pourquoi ne s'est-il pas nommé ? pourquoi n'a-t-il pas dit qu'il était étranger à cette affaire ?

— Il s'en est bien gardé, Monsieur ; il s'est au contraire approché de moi et m'a dit : « C'est ton maître qui a besoin de sa liberté en ce moment, et non pas moi, puisqu'il sait tout et que je ne sais rien. On le croira arrêté, et cela lui donnera du temps ; dans trois jours je dirai qui je suis, et il faudra bien qu'on me fasse sortir. »

— Bravo, Athos ! noble cœur, murmura d'Artagnan, je le reconnais bien là ! Et qu'ont fait les sbires ?

— Quatre l'ont emmené je ne sais où, à la Bastille ou au For-l'Évêque[2] ; deux sont restés avec les hommes noirs, qui ont fouillé partout et qui ont pris tous les papiers. Enfin les deux derniers, pendant cette expédition, montaient la garde à la porte ; puis, quand tout a été fini, ils sont partis, laissant la maison vide et tout ouvert.

— Et Porthos et Aramis ?

— Je ne les avais pas trouvés, ils ne sont pas venus.

— Mais ils peuvent venir d'un moment à l'autre, car tu leur as fait dire que je les attendais ?

— Oui, Monsieur.

— Eh bien ! ne bouge pas d'ici ; s'ils viennent, préviens-les de ce qui m'est arrivé, qu'ils m'attendent au cabaret de la *Pomme de Pin* ; ici il y aurait danger,

---

2. Prison située au centre de Paris, près du Châtelet.

114

la maison peut être espionnée. Je cours chez M. de Tréville pour lui annoncer tout cela, et je les y rejoins.

— C'est bien, Monsieur, dit Planchet.

Et de toute la vitesse de ses jambes, déjà quelque peu fatiguées cependant par les courses de la journée, d'Artagnan se dirigea vers la rue du Colombier.

M. de Tréville n'était point à son hôtel ; il était au Louvre avec sa compagnie.

Il fallait arriver jusqu'à M. de Tréville ; il était important qu'il fût prévenu de ce qui se passait. D'Artagnan résolut d'essayer d'entrer au Louvre. Son costume de garde dans la compagnie de M. des Essarts lui devait être un passeport.

Comme il arrivait à la hauteur de la rue Guénégaud, il vit déboucher de la rue Dauphine un groupe composé de deux personnes et dont l'allure le frappa.

Les deux personnes qui composaient le groupe étaient : l'un, un homme ; l'autre, une femme.

La femme avait la tournure de Mme Bonacieux, et l'homme ressemblait à s'y méprendre à Aramis. En outre, la femme avait cette mante noire que d'Artagnan voyait encore se dessiner sur le volet de la rue de Vaugirard et sur la porte de la rue de La Harpe.

De plus, l'homme portait l'uniforme des mousquetaires.

Le capuchon de la femme était rabattu, l'homme tenait son mouchoir sur son visage ; tous deux, cette double précaution l'indiquait, tous deux avaient donc intérêt à n'être point reconnus.

Ils prirent le pont : c'était le chemin de d'Artagnan, puisque d'Artagnan se rendait au Louvre ; d'Artagnan les suivit.

Il sentit à l'instant même tous les soupçons de la jalousie qui s'agitaient dans son cœur.

D'Artagnan ne réfléchit pas seulement qu'il connaissait la jolie mercière depuis trois heures seulement, qu'elle ne lui devait rien qu'un peu de reconnaissance pour l'avoir délivrée des hommes noirs qui voulaient l'enlever, et qu'elle ne lui avait rien promis. Il se regarda comme un amant outragé, trahi, bafoué ; le sang et la colère lui montèrent au visage, il résolut de tout éclaircir.

La jeune femme et le jeune homme s'étaient aperçus qu'ils étaient suivis, et ils avaient doublé le pas. D'Artagnan prit sa course, les dépassa, puis revint sur eux au moment où ils se trouvaient devant la Samaritaine, éclairée par un réverbère qui projetait sa lueur sur toute cette partie du pont.

D'Artagnan s'arrêta devant eux, et ils s'arrêtèrent devant lui.

— Que voulez-vous, Monsieur ? demanda le mousquetaire en reculant d'un pas et avec un accent étranger qui prouvait à d'Artagnan qu'il s'était trompé dans une partie de ses conjectures.

— Ce n'est pas Aramis ! s'écria-t-il.

— Non, Monsieur, ce n'est point Aramis, et à votre exclamation je vois que vous m'avez pris pour un autre, et je vous pardonne.

— Vous me pardonnez ! s'écria d'Artagnan.

— Oui, répondit l'inconnu. Laissez-moi donc passer, puisque ce n'est pas à moi que vous avez affaire.

— Vous avez raison, Monsieur, dit d'Artagnan, ce n'est pas à vous que j'ai affaire, c'est à Madame.

— À Madame ! vous ne la connaissez pas, dit l'étranger.

— Vous vous trompez, Monsieur, je la connais.

— Ah ! fit Mme Bonacieux d'un ton de reproche ; ah, Monsieur ! j'avais votre parole de militaire et votre foi de gentilhomme ; j'espérais pouvoir compter dessus.

— Et moi, Madame, dit d'Artagnan embarrassé, vous m'aviez promis...

— Prenez mon bras, Madame, dit l'étranger, et continuons notre chemin.

Cependant d'Artagnan, étourdi, atterré, anéanti par tout ce qui lui arrivait, restait debout et les bras croisés devant le mousquetaire et Mme Bonacieux.

Le mousquetaire fit deux pas en avant et écarta d'Artagnan avec la main.

D'Artagnan fit un bond en arrière et tira son épée.

En même temps et avec la rapidité de l'éclair, l'inconnu tira la sienne.

— Au nom du Ciel, Milord ! s'écria Mme Bonacieux en se jetant entre les combattants et prenant les épées à pleines mains.

— Milord ! s'écria d'Artagnan illuminé d'une idée subite, Milord ! pardon, Monsieur ; mais est-ce que vous seriez...

— Milord duc de Buckingham, dit Mme Bonacieux à demi-voix ; et maintenant vous pouvez nous perdre tous.

— Milord, Madame, pardon, cent fois pardon ; mais je l'aimais, Milord, et j'étais jaloux, vous savez ce que c'est que d'aimer, Milord ; pardonnez-moi, et dites-moi comment je puis me faire tuer pour Votre Grâce.

— Vous êtes un brave jeune homme, dit Buckingham en tendant à d'Artagnan une main que celui-ci serra respectueusement ; vous m'offrez vos services, je les accepte ; suivez-nous à vingt pas jusqu'au Louvre ; et si quelqu'un nous épie, tuez-le !

D'Artagnan mit son épée nue sous son bras, laissa prendre à Mme Bonacieux et au duc vingt pas d'avance et les suivit, prêt à exécuter à la lettre les instructions du noble et élégant ministre de Charles Ier.

Mais heureusement le jeune séide[3] n'eut aucune occasion de donner au duc cette preuve de son dévouement, et la jeune femme et le beau mousquetaire rentrèrent au Louvre par le guichet de l'Échelle sans avoir été inquiétés.

Quant à d'Artagnan, il se rendit aussitôt au cabaret de la *Pomme de Pin*, où il trouva Porthos et Aramis qui l'attendaient.

Mais, sans leur donner d'autre explication sur le dérangement qu'il leur avait causé, il leur dit qu'il avait terminé seul l'affaire pour laquelle il avait cru un instant avoir besoin de leur intervention.

Et maintenant, emportés que nous sommes par notre récit, laissons nos trois amis rentrer chacun chez soi, et suivons, dans les détours du Louvre, le duc de Buckingham et son guide.

---

3. Homme dévoué jusqu'au fanatisme.

12

Georges Villiers, duc de Buckingham

Mme Bonacieux et le duc entrèrent au Louvre sans difficulté ; Mme Bonacieux était connue pour appartenir à la reine ; le duc portait l'uniforme des mousquetaires de M. de Tréville, qui, comme nous l'avons dit, était de garde ce soir-là. D'ailleurs Germain était dans les intérêts de la reine, et si quelque chose arrivait, Mme Bonacieux serait accusée d'avoir introduit son amant au Louvre, voilà tout ; elle prenait sur elle le crime : sa réputation était perdue, il est vrai, mais de quelle valeur était dans le monde la réputation d'une petite mercière ?

Une fois entrés dans l'intérieur de la cour, le duc et la jeune femme suivirent le pied de la muraille pendant l'espace d'environ vingt-cinq pas ; cet espace parcouru, Mme Bonacieux poussa une petite porte de service, ouverte le jour, mais ordinairement fermée la nuit ; la porte céda ; tous deux entrèrent et se trou-

119

vèrent dans l'obscurité, mais Mme Bonacieux connaissait tous les tours et détours de cette partie du Louvre, destinée aux gens de la suite. Elle referma les portes derrière elle, prit le duc par la main, fit quelques pas en tâtonnant, saisit une rampe, toucha du pied un degré, et commença de monter un escalier : le duc compta deux étages. Alors elle prit à droite, suivit un long corridor, redescendit un étage, fit quelques pas encore, introduisit une clef dans une serrure, ouvrit une porte et poussa le duc dans un appartement éclairé seulement par une lampe de nuit, en disant : « Restez ici, Milord duc, on va venir. » Puis elle sortit par la même porte, qu'elle ferma à la clef, de sorte que le duc se trouva littéralement prisonnier.

Cependant, tout isolé qu'il se trouvait, il faut le dire, le duc de Buckingham n'éprouva pas un instant de crainte ; un des côtés saillants de son caractère était la recherche de l'aventure et l'amour du romanesque. Brave, hardi, entreprenant, ce n'était pas la première fois qu'il risquait sa vie dans de pareilles tentatives ; il avait appris que ce prétendu message d'Anne d'Autriche, sur la foi duquel il était venu à Paris, était un piège, et au lieu de regagner l'Angleterre, il avait, abusant de la position qu'on lui avait faite, déclaré à la reine qu'il ne partirait pas sans l'avoir vue. La reine avait positivement refusé d'abord, puis enfin elle avait craint que le duc, exaspéré, ne fît quelque folie. Déjà elle était décidée à le recevoir et à le supplier de partir aussitôt, lorsque, le soir même de cette décision, Mme Bonacieux, qui était chargée d'aller chercher le duc et de le conduire au Louvre, fut enlevée. Pendant deux jours on ignora complètement ce qu'elle était devenue, et tout resta en suspens. Mais une fois libre, une fois remise en rapport avec La Porte, les choses avaient repris leur cours, et elle venait d'accomplir la périlleuse entreprise que, sans son arrestation, elle eût exécutée trois jours plus tôt.

Buckingham, resté seul, s'approcha d'une glace. Cet habit de mousquetaire lui allait à merveille. À trente-cinq ans qu'il avait alors, il passait à juste titre pour le plus beau gentilhomme et pour le plus élégant cavalier de France et d'Angleterre.

En ce moment, une porte cachée dans la tapisserie s'ouvrit et une femme apparut. Buckingham vit cette apparition dans la glace ; il jeta un cri, c'était la reine !

Anne d'Autriche avait alors vingt-six, ou vingt-sept ans, c'est-à-dire qu'elle se trouvait dans tout l'éclat de sa beauté.

Buckingham resta un instant ébloui ; jamais Anne d'Autriche ne lui était apparue aussi belle, au milieu des bals, des fêtes, des carrousels, qu'elle lui apparut en ce moment, vêtue d'une simple robe de satin blanc et accompagnée de doña Estefania, la seule de ses femmes espagnoles qui n'eût pas été chassée par la jalousie du roi et par les persécutions de Richelieu.

Anne d'Autriche fit deux pas en avant ; Buckingham se précipita à ses genoux, et avant que la reine eût pu l'en empêcher, il baisa le bas de sa robe.

— Duc, vous savez déjà que ce n'est pas moi qui vous ai fait écrire.

— Oh ! oui, Madame, oui. Votre Majesté, s'écria le duc ; je sais que j'ai été un fou, un insensé de croire que la neige s'animerait, que le marbre s'échaufferait ; mais, que voulez-vous, quand on aime, on croit facilement à l'amour ; d'ailleurs je n'ai pas tout perdu à ce voyage, puisque je vous vois.

— Oui, répondit Anne, mais vous savez pourquoi et comment je vous vois, Milord. Je vous vois par pitié pour vous-même ; je vous vois parce qu'insensible à toutes mes peines, vous vous êtes obstiné à rester dans une ville où, en restant, vous courez risque de la vie et me faites courir risque de mon honneur ; je vous vois pour vous dire que tout nous sépare, les profondeurs de la mer, l'inimitié des royaumes, la sainteté des serments. Il est sacrilège de lutter contre tant de choses, Milord. Je vous vois enfin pour vous dire qu'il ne faut plus nous voir.

— Parlez, Madame ; parlez, reine, dit Buckingham ; la douceur de votre voix couvre la dureté de vos paroles. Vous parlez de sacrilège ! mais le sacrilège est dans la séparation des cœurs que Dieu avait formés l'un pour l'autre.

— Milord, s'écria la reine, vous oubliez que je ne vous ai jamais dit que je vous aimais.

— Mais vous ne m'avez jamais dit non plus que vous ne m'aimiez point ; et vraiment, me dire de semblables paroles, ce serait de la part de Votre Majesté une trop grande ingratitude. Vous l'avez dit vous-même, on m'a attiré dans un piège, j'y laisserai ma vie peut-être, car, tenez, c'est étrange, depuis quelque temps j'ai des pressentiments que je vais mourir.

Et le duc sourit d'un sourire triste et charmant à la fois.

— Oh ! mon Dieu ! s'écria Anne d'Autriche avec un accent d'effroi qui prouvait quel intérêt plus grand qu'elle ne le voulait dire elle prenait au duc.

122

— Je ne vous dis point cela pour vous effrayer, Madame, non ; c'est même ridicule ce que je vous dis, et croyez que je ne me préoccupe point de pareils rêves.

— Eh bien ! dit Anne d'Autriche, moi aussi, duc, moi, j'ai des pressentiments, moi aussi j'ai des rêves. J'ai songé que je vous voyais couché sanglant, frappé d'une blessure.

— Au côté gauche, n'est-ce pas, avec un couteau ? interrompit Buckingham.

— Oui, c'est cela, Milord, c'est cela, au côté gauche avec un couteau. Qui a pu vous dire que j'avais fait ce rêve ? Je ne l'ai confié qu'à Dieu, et encore dans mes prières.

— Je n'en veux pas davantage, et vous m'aimez. Madame, c'est bien.

— Je vous aime, moi ?

— Oui, vous. Dieu vous enverrait-il les mêmes rêves qu'à moi, si vous ne m'aimiez pas ? Aurions-nous les mêmes pressentiments, si nos deux existences ne se touchaient pas par le cœur ? Vous m'aimez, ô reine, et vous me pleurerez ?

— Oh ! mon Dieu ! mon Dieu ! s'écria Anne d'Autriche, c'est plus que je n'en puis supporter. Tenez, duc, au nom du Ciel, partez, retirez-vous ; je ne sais si je vous aime, ou si je ne vous aime pas ; mais ce que je sais, c'est que je ne serai point parjure. Prenez donc pitié de moi, et partez. Oh ! si vous êtes frappé en France, si vous mourez en France, si je pouvais supposer que votre amour pour moi fût cause de votre mort, je ne me consolerais jamais, j'en deviendrais folle. Partez donc, partez, je vous en supplie.

— Oh ! que vous êtes belle ainsi ! Oh ! que je vous aime ! dit Buckingham.

— Partez ! partez ! je vous en supplie, et revenez plus tard ; revenez comme ambassadeur, revenez comme ministre, revenez entouré de gardes qui vous défendront, de serviteurs qui veilleront sur vous, et alors je ne craindrai plus pour vos jours, et j'aurai du bonheur à vous revoir.

— Oh ! est-ce bien vrai ce que vous me dites ?

— Oui...

— Eh bien ! un gage de votre indulgence, un objet qui vienne de vous et qui me rappelle que je n'ai point fait un rêve ; quelque chose que vous ayez porté et que je puisse porter à mon tour, une bague, un collier, une chaîne.

— Et partirez-vous, partirez-vous, si je vous donne ce que vous me demandez ?

— Oui.

— À l'instant même ?

— Oui.

— Vous quitterez la France, vous retournerez en Angleterre ?

— Oui, je vous le jure !

— Attendez, alors, attendez.

Et Anne d'Autriche rentra dans son appartement et en sortit presque aussitôt, tenant à la main un petit coffret en bois de rose à son chiffre, tout incrusté d'or.

— Tenez, Milord duc, tenez, dit-elle, gardez cela en mémoire de moi.

Buckingham prit le coffret et tomba une seconde fois à genoux.

— Vous m'avez promis de partir, dit la reine.

— Et je tiens ma parole. Votre main, votre main, Madame, et je pars.

Anne d'Autriche tendit sa main en fermant les yeux et en s'appuyant de l'autre sur Estefania, car elle sentait que les forces allaient lui manquer.

Buckingham appuya avec passion ses lèvres sur cette belle main, puis se relevant :

— Avant six mois, dit-il, si je ne suis pas mort, je vous aurai revue, Madame, dussé-je bouleverser le monde pour cela.

Et, fidèle à la promesse qu'il avait faite, il s'élança hors de l'appartement.

Dans le corridor, il rencontra Mme Bonacieux qui l'attendait, et qui, avec les mêmes précautions et le même bonheur, le reconduisit hors du Louvre.

13

Monsieur Bonacieux

Il y avait dans tout cela, comme on a pu le remarquer, un personnage dont, malgré sa position précaire, on n'avait paru s'inquiéter que fort médiocrement ; ce personnage était M. Bonacieux, respectable martyr des intrigues politiques et amoureuses qui s'enchevêtraient si bien les unes aux autres, dans cette époque à la fois si chevaleresque et si galante.

Les estafiers[1] qui l'avaient arrêté le conduisirent droit à la Bastille, où on le fit passer tout tremblant devant un peloton de soldats qui chargeaient leurs mousquets.

Deux gardes s'emparèrent du mercier, lui firent traverser une cour, le firent entrer dans un corridor où il y avait trois sentinelles, ouvrirent une porte et

1. Domestiques armés.

le poussèrent dans une chambre basse, où il n'y avait pour tous meubles qu'une table, une chaise et un commissaire. Le commissaire était assis sur la chaise et occupé à écrire sur la table.

Les deux gardes conduisirent le prisonnier devant la table et, sur un signe du commissaire, s'éloignèrent hors de la portée de la voix.

Il commença par demander à M. Bonacieux ses nom et prénoms, son âge, son état et son domicile. L'accusé répondit qu'il s'appelait Jacques-Michel Bonacieux, qu'il était âgé de cinquante et un ans, mercier retiré, et qu'il demeurait rue des Fossoyeurs, n° 11.

— Monsieur Bonacieux, dit le commissaire en regardant l'accusé comme si ses petits yeux avaient la faculté de lire jusqu'au plus profond des cœurs, Monsieur Bonacieux, vous avez une femme ?

— Oui, Monsieur, répondit le mercier tout tremblant ; c'est-à-dire, j'en avais une.

— Comment ? vous en aviez une ! qu'en avez-vous fait, si vous ne l'avez plus ?

— On me l'a enlevée, Monsieur.

— On vous l'a enlevée ! et savez-vous quel est l'homme qui a commis ce rapt ?

— Je crois le connaître.

— Quel est-il ?

— Songez que je n'affirme rien, Monsieur le commissaire, et que je soupçonne seulement.

— Qui soupçonnez-vous ? Voyons, répondez franchement.

M. Bonacieux était dans la plus grande perplexité : devait-il tout nier ou tout dire ? En niant tout, on pouvait croire qu'il en savait trop long pour avouer ; en disant tout, il faisait preuve de bonne volonté. Il se décida donc à tout dire.

— Je soupçonne, dit-il, un grand brun, de haute mine, lequel a tout à fait l'air d'un grand seigneur ; il nous a suivis plusieurs fois, à ce qu'il m'a semblé, quand j'attendais ma femme devant le guichet du Louvre pour la ramener chez moi.

Le commissaire parut éprouver quelque inquiétude.

— Et son nom ? dit-il.

— Oh ! quant à son nom, je n'en sais rien, mais si je le rencontre jamais, je le reconnaîtrai à l'instant même, je vous en réponds, fût-il entre mille personnes.

Le front du commissaire se rembrunit.

— Vous le reconnaîtriez entre mille, dites-vous ? continua-t-il.

— C'est-à-dire, reprit Bonacieux, qui vit qu'il avait fait fausse route, c'est-à-dire…'

— Vous avez répondu que vous le reconnaîtriez, dit le commissaire ; c'est bien, en voici assez pour aujourd'hui ; il faut, avant que nous allions plus loin, que quelqu'un soit prévenu que vous connaissez le ravisseur de votre femme.

— Mais je ne vous ai pas dit que je le connaissais ! s'écria Bonacieux au désespoir. Je vous ai dit au contraire…

— Emmenez le prisonnier, dit le commissaire aux deux gardes.

— Et où faut-il le conduire ? demanda le greffier.

— Dans un cachot.

— Dans lequel ?

— Oh ! mon Dieu, dans le premier venu, pourvu qu'il ferme bien, répondit le commissaire avec une indifférence qui pénétra d'horreur le pauvre Bonacieux.

Sans écouter le moins du monde les lamentations de maître Bonacieux, lamentations auxquelles d'ailleurs ils devaient être habitués, les deux gardes prirent le prisonnier par un bras, et l'emmenèrent, tandis que le commissaire écrivait en hâte une lettre que son greffier attendait.

Bonacieux ne ferma pas l'œil, non pas que son cachot fût par trop désagréable, mais parce que ses inquiétudes étaient trop grandes. Il resta toute la nuit sur son escabeau, tressaillant au moindre bruit ; et quand les premiers rayons du jour se glissèrent dans sa chambre, l'aurore lui parut avoir pris des teintes funèbres.

Tout à coup, il entendit tirer les verrous, et il fit un soubresaut terrible. Il croyait qu'on venait le chercher pour le conduire à l'échafaud ; aussi, lorsqu'il vit purement et simplement paraître, au lieu de l'exécuteur qu'il attendait, son commissaire et son greffier de la veille, il fut tout près de leur sauter au cou.

— Votre affaire s'est fort compliquée depuis hier au soir, mon brave homme, lui dit le commissaire, et je vous conseille de dire toute la vérité ; car votre repentir peut seul conjurer la colère du cardinal.

— Mais je suis prêt à tout dire, s'écria Bonacieux, du moins tout ce que je sais. Interrogez, je vous prie.

— Où est votre femme, d'abord ?

— Mais puisque je vous ai dit qu'on me l'avait enlevée.

— Oui, mais depuis hier cinq heures de l'après-midi, grâce à vous, elle s'est échappée.

— Ma femme s'est échappée ! s'écria Bonacieux. Oh ! la malheureuse ! Monsieur, si elle s'est échappée, ce n'est pas ma faute, je vous le jure.

— Qu'alliez-vous donc alors faire chez M. d'Artagnan, votre voisin, avec lequel vous avez eu une longue conférence dans la journée ?

— Ah ! oui, Monsieur le commissaire, oui, cela est vrai, et j'avoue que j'ai eu tort. J'ai été chez M. d'Artagnan.

— Quel était le but de cette visite ?

— De le prier de m'aider à retrouver ma femme. Je croyais que j'avais droit de la réclamer ; je me trompais, à ce qu'il paraît, et je vous en demande bien pardon.

— Et qu'a répondu M. d'Artagnan ?

— M. d'Artagnan m'a promis son aide ; mais je me suis bientôt aperçu qu'il me trahissait.

— Vous en imposez à la justice ! M. d'Artagnan a fait un pacte avec vous, et en vertu de ce pacte il a mis en fuite les hommes de police qui avaient arrêté votre femme, et l'a soustraite à toutes les recherches.

— M. d'Artagnan a enlevé ma femme ! Ah çà, mais que me dites-vous là ?

— Heureusement M. d'Artagnan est entre nos mains, et vous allez lui être confronté.

— Ah ! ma foi, je ne demande pas mieux, s'écria Bonacieux ; je ne serais pas fâché de voir une figure de connaissance.

— Faites entrer M. d'Artagnan, dit le commissaire aux deux gardes.

Les deux gardes firent entrer Athos.

— Monsieur d'Artagnan, dit le commissaire en s'adressant à Athos, déclarez ce qui s'est passé entre vous et Monsieur.

— Mais ! s'écria Bonacieux, ce n'est pas M. d'Artagnan que vous me montrez là !

— Comment ! ce n'est pas M. d'Artagnan ? s'écria le commissaire.

— Pas le moins du monde, répondit Bonacieux.

— Comment se nomme Monsieur ? demanda le commissaire.

— Je ne puis vous le dire, je ne le connais pas.

— Comment ! vous ne le connaissez pas ?

— Non.

— Vous ne l'avez jamais vu ?

— Si fait ; mais je ne sais comment il s'appelle.

— Votre nom ? demanda le commissaire.

— Athos, répondit le mousquetaire.

— Mais ce n'est pas un nom d'homme, ça, c'est un nom de montagne[2] ! s'écria le pauvre interrogateur qui commençait à perdre la tête.

— C'est mon nom, dit tranquillement Athos.

— Mais vous avez dit que vous vous nommiez d'Artagnan.

— Moi ?

— Oui, vous.

— C'est-à-dire que c'est à moi qu'on a dit : « Vous êtes M. d'Artagnan ? » J'ai répondu : « Vous croyez ? » Mes gardes se sont écriés qu'ils en étaient

_____

2. Allusion au mont Athos, en Grèce.

sûrs. Je n'ai pas voulu les contrarier. D'ailleurs je pouvais me tromper.

— Monsieur, vous insultez à la majesté de la justice.

— Aucunement, fit tranquillement Athos.

— Vous êtes M. d'Artagnan.

— Vous voyez bien que vous me le dites encore.

— Mais, s'écria à son tour M. Bonacieux, je vous dis, Monsieur le commissaire, qu'il n'y a pas un instant de doute à avoir. M. d'Artagnan est mon hôte[3], et par conséquent, quoiqu'il ne me paie pas mes loyers, et justement même à cause de cela, je dois le connaître. M. d'Artagnan est un jeune homme de dix-neuf à vingt ans à peine, et Monsieur en a trente au moins. M. d'Artagnan est dans les gardes de M. des Essarts, et Monsieur est dans la compagnie des mousquetaires de M. de Tréville : regardez l'uniforme, Monsieur le commissaire, regardez l'uniforme.

— C'est vrai, murmura le commissaire ; c'est pardieu vrai.

En ce moment la porte s'ouvrit vivement, et un messager, introduit par un des guichetiers de la Bastille, remit une lettre au commissaire.

— Oh ! la malheureuse ! s'écria le commissaire.

— Comment ? que dites-vous ? de qui parlez-vous ? Ce n'est pas de ma femme, j'espère !

— Au contraire, c'est d'elle. Votre affaire est bonne, allez.

— Ah çà ! s'écria le mercier exaspéré, faites-moi le plaisir de me dire, Monsieur, comment mon affaire

---

3. Locataire.

132

à moi peut s'empirer de ce que fait ma femme pendant que je suis en prison !

— Parce que ce qu'elle fait est la suite d'un plan arrêté entre vous, plan infernal !

— Je vous jure, Monsieur le commissaire, que vous êtes dans la plus profonde erreur, que je ne sais rien au monde de ce que devait faire ma femme, que je suis entièrement étranger à ce qu'elle a fait, et que, si elle a fait des sottises, je la renie, je la démens, je la maudis.

— Ah çà ! dit Athos au commissaire, si vous n'avez plus besoin de moi ici, renvoyez-moi quelque part, il est très ennuyeux, votre Monsieur Bonacieux.

— Reconduisez les prisonniers dans leurs cachots, dit le commissaire en désignant d'un même geste Athos et Bonacieux, et qu'ils soient gardés plus sévèrement que jamais.

— Cependant, dit Athos avec son calme habituel, si c'est à M. d'Artagnan que vous avez affaire, je ne vois pas trop en quoi je puis le remplacer.

— Faites ce que j'ai dit ! s'écria le commissaire, et le secret le plus absolu ! Vous entendez !

Athos suivit ses gardes en levant les épaules, et M. Bonacieux en poussant des lamentations à fendre le cœur d'un tigre.

On ramena le mercier dans le même cachot où il avait passé la nuit, et l'on l'y laissa toute la journée. Le soir, vers les neuf heures, au moment où il allait se décider à se mettre au lit, il entendit des pas dans son corridor. Ces pas se rapprochèrent de son cachot, sa porte s'ouvrit, des gardes parurent.

— Suivez-moi, dit un exempt[4] qui venait à la suite des gardes.

— Vous suivre ! s'écria Bonacieux ; vous suivre à cette heure-ci ! et où cela, mon Dieu ?

— Où nous avons l'ordre de vous conduire.

— Ah ! mon Dieu, mon Dieu, murmura le pauvre mercier, pour cette fois je suis perdu !

Et il suivit machinalement et sans résistance les gardes qui venaient le quérir.

Il prit le même corridor qu'il avait déjà pris, traversa une première cour, puis un second corps de logis ; enfin, à la porte de la cour d'entrée, il trouva une voiture entourée de quatre gardes à cheval. On le fit monter dans cette voiture, l'exempt se plaça près de lui, on ferma la portière à clef, et tous deux se trouvèrent dans une prison roulante.

La voiture se mit en mouvement, lente comme un char funèbre. À travers la grille cadenassée, le prisonnier apercevait les maisons et le pavé, voilà tout ; mais, en véritable Parisien qu'il était, Bonacieux reconnaissait chaque rue aux bornes, aux enseignes, aux réverbères. Au moment d'arriver à Saint-Paul, lieu où l'on exécutait les condamnés de la Bastille, il faillit s'évanouir et se signa deux fois. Il avait cru que la voiture devait s'arrêter là. La voiture passa cependant.

Plus loin, une grande terreur le prit encore, ce fut en côtoyant le cimetière Saint-Jean où on enterrait les criminels d'État. Une seule chose le rassura un peu, c'est qu'avant de les enterrer on leur coupait généra-

---

4. Officier de police.

lement la tête, et que sa tête à lui était encore sur ses épaules. Mais lorsqu'il vit que la voiture prenait la route de la Grève, qu'il aperçut les toits aigus de l'Hôtel de Ville, que la voiture s'engagea sous l'arcade, il crut que tout était fini pour lui, voulut se confesser à l'exempt, et, sur son refus, poussa des cris si pitoyables que l'exempt annonça que, s'il continuait à l'assourdir ainsi, il lui mettrait un bâillon.

Cette menace rassura quelque peu Bonacieux : si l'on eut dû l'exécuter en Grève, ce n'était pas la peine de le bâillonner, puisqu'on était presque arrivé au lieu de l'exécution. En effet, la voiture traversa la place fatale sans s'arrêter. Il ne restait plus à craindre que la Croix-du-Trahoir : la voiture en prit justement le chemin.

Cette fois, il n'y avait plus de doute, c'était à la Croix-du-Trahoir qu'on exécutait les criminels subalternes. Bonacieux s'était flatté en se croyant digne de Saint-Paul ou de la place de Grève : c'était à la Croix-du-Trahoir qu'allaient finir son voyage et sa destinée ! Lorsqu'il n'en fut plus qu'à une vingtaine de pas, il entendit une rumeur, et la voiture s'arrêta. C'était plus que n'en pouvait supporter le pauvre Bonacieux, déjà écrasé par les émotions successives qu'il avait éprouvées ; il poussa un faible gémissement, qu'on eût pu prendre pour le dernier soupir d'un moribond, et il s'évanouit.

14

L'homme de Meung

La voiture, arrêtée un instant, reprit sa marche, traversa la foule, continua son chemin, enfila la rue Saint-Honoré, tourna la rue des Bons-Enfants et s'arrêta devant une porte basse.

La porte s'ouvrit, deux gardes reçurent dans leurs bras Bonacieux, soutenu par l'exempt ; on le poussa dans une allée, on lui fit monter un escalier, et on le déposa dans une antichambre.

Tous ces mouvements s'étaient opérés pour lui d'une façon machinale.

En ce moment, un officier de bonne mine ouvrit une portière, continua d'échanger encore quelques paroles avec une personne qui se trouvait dans la pièce voisine, et se retournant vers le prisonnier :

— C'est vous qui vous nommez Bonacieux ? dit-il.

— Oui, Monsieur l'officier, balbutia le mercier, plus mort que vif, pour vous servir.

— Entrez, dit l'officier.

Et il s'effaça pour que le mercier pût passer. Celui-ci obéit sans réplique, et entra dans la chambre où il paraissait être attendu.

C'était un grand cabinet, aux murailles garnies d'armes offensives et défensives, clos et étouffé, et dans lequel il y avait déjà du feu, quoique l'on fût à peine à la fin du mois de septembre. Une table carrée, couverte de livres et de papiers sur lesquels était déroulé un plan immense de la ville de La Rochelle, tenait le milieu de l'appartement.

Debout devant la cheminée était un homme de moyenne taille, à la mine haute et fière, aux yeux perçants, au front large, à la figure amaigrie qu'allongeait encore une royale[1] surmontée d'une paire de moustaches. Cet homme, moins l'épée, avait toute la mine d'un homme de guerre, et ses bottes de buffle encore légèrement couvertes de poussière indiquaient qu'il avait monté à cheval dans la journée.

Cet homme, c'était Armand-Jean Duplessis, cardinal de Richelieu, tel qu'il était à cette époque, c'est-à-dire adroit et galant[2] cavalier, faible de corps déjà, mais soutenu par cette puissance morale qui a fait de lui un des hommes les plus extraordinaires qui aient existé.

— C'est là ce Bonacieux ? demanda-t-il après un moment de silence.

— Oui, Monseigneur, reprit l'officier.

---

1. Bouquet de barbe sous la lèvre inférieure.
2. Élégant, distingué.

— C'est bien, donnez-moi ces papiers et laissez-nous.

L'officier prit sur la table les papiers désignés, les remit à celui qui les demandait, s'inclina jusqu'à terre, et sortit.

Bonacieux reconnut dans ces papiers ses interrogatoires de la Bastille. De temps en temps, l'homme de la cheminée levait les yeux de dessus les écritures, et les plongeait comme deux poignards jusqu'au fond du cœur du pauvre mercier.

Au bout de dix minutes de lecture et dix secondes d'examen, le cardinal était fixé.

« Cette tête-là n'a jamais conspiré, murmura-t-il ; mais n'importe, voyons toujours. »

— Vous êtes accusé de haute trahison, dit lentement le cardinal.

— C'est ce qu'on m'a déjà appris, Monseigneur, s'écria Bonacieux, donnant à son interrogateur le titre qu'il avait entendu l'officier lui donner ; mais je vous jure que je n'en savais rien.

Le cardinal réprima un sourire.

— Vous avez conspiré avec votre femme, avec Mme de Chevreuse et avec Milord duc de Buckingham.

— En effet, Monseigneur, répondit le mercier, je l'ai entendue prononcer tous ces noms-là.

— Et à quelle occasion ?

— Elle disait que le cardinal de Richelieu avait attiré le duc de Buckingham à Paris pour le perdre et pour perdre la reine avec lui.

— Elle disait cela ? s'écria le cardinal avec violence.

— Oui, Monseigneur ; mais moi je lui ai dit qu'elle avait tort de tenir de pareils propos, et que Son Éminence était incapable...

— Taisez-vous, vous êtes un imbécile, reprit le cardinal.

— C'est justement ce que ma femme m'a répondu, Monseigneur.

— Savez-vous qui a enlevé votre femme ?

— Non, Monseigneur.

— Vous avez des soupçons, cependant ?

— Oui, Monseigneur ; mais ces soupçons ont paru contrarier M. le commissaire, et je ne les ai plus.

— Votre femme s'est échappée, le saviez-vous ?

— Non, Monseigneur, je l'ai appris depuis que je suis en prison, et toujours par l'entremise de M. le commissaire, un homme bien aimable !

Le cardinal réprima un second sourire.

— Alors vous ignorez ce que votre femme est devenue depuis sa fuite ?

— Absolument, Monseigneur ; mais elle a dû rentrer au Louvre.

— À une heure du matin elle n'y était pas rentrée encore.

— Ah ! mon Dieu ! mais qu'est-elle devenue alors ?

— On le saura, soyez tranquille ; on ne cache rien au cardinal ; le cardinal sait tout.

— En ce cas, Monseigneur, est-ce que vous croyez que le cardinal consentira à me dire ce qu'est devenue ma femme ?

— Peut-être ; mais il faut d'abord que vous avouiez tout ce que vous savez relativement aux relations de votre femme avec Mme de Chevreuse.

— Mais, Monseigneur, je n'en sais rien ; je ne l'ai jamais vue.

— Quand vous alliez chercher votre femme au Louvre, revenait-elle directement chez vous ?

— Presque jamais : elle avait affaire à des marchands de toile, chez lesquels je la conduisais.

— Et combien y en avait-il de marchands de toile ?

— Deux, Monseigneur.

— Où demeurent-ils ?

— Un, rue de Vaugirard ; l'autre, rue de La Harpe.

— Entriez-vous chez eux avec elle ?

— Jamais, Monseigneur ; je l'attendais à la porte.

— Et quel prétexte vous donnait-elle pour entrer ainsi toute seule ?

— Elle ne m'en donnait pas ; elle me disait d'attendre, et j'attendais.

— Vous êtes un mari complaisant, mon cher Monsieur Bonacieux ! dit le cardinal.

« Il m'appelle son cher Monsieur ! dit en lui-même le mercier. Peste ! les affaires vont bien ! »

— Savez-vous les numéros ?

— N° 25, dans la rue de Vaugirard ; n° 75, dans la rue de La Harpe.

— C'est bien dit le cardinal.

À ces mots, il prit une sonnette d'argent, et sonna ; l'officier rentra.

— Allez, dit-il à demi-voix, me chercher Rochefort ; et qu'il vienne à l'instant même, s'il est rentré.

— Le comte est là, dit l'officier, il demande instamment à parler à Votre Éminence !

« À Votre Éminence ! murmura Bonacieux, qui

savait que tel était le titre qu'on donnait d'ordinaire à M. le cardinal ;... à Votre Éminence ! »

— Qu'il vienne alors, qu'il vienne ! dit vivement Richelieu.

L'officier s'élança hors de l'appartement, avec cette rapidité que mettaient d'ordinaire tous les serviteurs du cardinal à lui obéir.

Cinq secondes ne s'étaient pas écoulées depuis la disparition de l'officier, que la porte s'ouvrit et qu'un nouveau personnage entra.

— C'est lui, s'écria Bonacieux.

— Qui lui ? demanda le cardinal.

— Celui qui m'a enlevé ma femme.

Le cardinal sonna une seconde fois. L'officier reparut.

— Remettez cet homme aux mains de ses deux gardes, et qu'il attende que je le rappelle devant moi.

— Non, Monseigneur ! non, ce n'est pas lui ! s'écria Bonacieux ; non, je m'étais trompé : c'est un autre qui ne lui ressemble pas du tout ! Monsieur est un honnête homme.

— Emmenez cet imbécile ! dit le cardinal.

L'officier prit Bonacieux sous le bras, et le reconduisit dans l'antichambre où il trouva ses deux gardes. Le nouveau personnage qu'on venait d'introduire suivit des yeux avec impatience Bonacieux jusqu'à ce qu'il fût sorti, et dès que la porte se fut refermée sur lui :

— Ils se sont vus, dit-il en s'approchant vivement du cardinal.

— La reine et le duc ?

— Oui.

141

— Et où cela ?

— Au Louvre.

— Qui vous l'a dit ?

— Mme de Lannoy, qui est toute à Votre Éminence, comme vous le savez.

— Comment cela s'est-il passé ?

— À minuit et demi, la reine était avec ses
femmes…

— Où cela ?

— Dans sa chambre à coucher…

— Bien.

— Lorsqu'on est venu lui remettre un mouchoir
de la part de sa dame de lingerie…

— Après ?

— Aussitôt la reine a manifesté une grande émotion, et, malgré le rouge dont elle avait le visage cou-
vert, elle a pâli.

— Après ! après !

— Cependant, elle s'est levée, et d'une voix altérée :
« Mesdames, a-t-elle dit, attendez-moi dix minutes,
puis je reviens. » Et elle a ouvert la porte de son alcôve,
puis elle est sortie.

— Pourquoi Mme de Lannoy n'est-elle pas venue
vous prévenir à l'instant même ?

— Rien n'était bien certain encore ; d'ailleurs, la
reine avait dit : « Mesdames, attendez-moi » ; et elle
n'osait désobéir à la reine.

— Et combien de temps la reine est-elle restée hors
de la chambre ?

— Trois quarts d'heure.

— Aucune de ses femmes ne l'accompagnait ?

— Doña Estefania seulement.

142

— Et elle est rentrée ensuite ?

— Oui, mais pour prendre un petit coffret de bois de rose à son chiffre, et sortir aussitôt.

— Et quand elle est rentrée, plus tard, a-t-elle rapporté le coffret ?

— Non.

— Mme de Lannoy savait-elle ce qu'il y avait dans ce coffret ?

— Oui : les ferrets en diamants que Sa Majesté a donnés à la reine.

— Et elle est rentrée sans ce coffret ?

— Oui.

— L'opinion de Mme de Lannoy est qu'elle les a remis alors à Buckingham ?

— Elle en est sûre.

— Bien ! bien ! Rochefort, tout n'est pas perdu, et peut-être… peut-être tout est-il pour le mieux !

— Le fait est que je ne doute pas que le génie de Votre Éminence…

— Ne répare les bêtises de mon agent, n'est-ce pas ?

— C'est justement ce que j'allais dire, si Votre Éminence m'avait laissé achever ma phrase.

— Maintenant, savez-vous où se cachaient la duchesse de Chevreuse et le duc de Buckingham ?

— Non, Monseigneur, mes gens n'ont pu rien me dire de positif là-dessus.

— Je le sais, moi.

— Vous, Monseigneur ?

— Oui, ou du moins je m'en doute. Ils se tenaient, l'un rue de Vaugirard, n° 25, et l'autre rue de La Harpe, n° 75.

143

— Votre Éminence veut-elle que je les fasse arrêter tous deux ?

— Il sera trop tard, ils seront partis.

— N'importe, on peut s'en assurer.

— Prenez dix hommes de mes gardes, et fouillez les deux maisons.

— J'y vais, Monseigneur.

Et Rochefort s'élança hors de l'appartement.

Le cardinal, resté seul, réfléchit un instant et sonna une troisième fois.

Le même officier reparut.

— Faites entrer le prisonnier, dit le cardinal.

Maître Bonacieux fut introduit de nouveau, et, sur un signe du cardinal, l'officier se retira.

— Vous m'avez trompé, dit sévèrement le cardinal.

— Moi, s'écria Bonacieux, moi, tromper Votre Éminence !

— Votre femme, en allant rue de Vaugirard et rue de La Harpe, n'allait pas chez des marchands de toile.

— Et où allait-elle, juste Dieu ?

— Elle allait chez la duchesse de Chevreuse et chez le duc de Buckingham.

— Oui, dit Bonacieux rappelant tous ses souvenirs ; oui, c'est cela, Votre Éminence a raison. J'ai dit plusieurs fois à ma femme qu'il était étonnant que des marchands de toile demeurassent dans des maisons pareilles, dans des maisons qui n'avaient pas d'enseignes, et chaque fois ma femme s'est mise à rire. Ah ! Monseigneur, continua Bonacieux en se jetant aux pieds de l'Éminence, ah ! que vous êtes bien le cardinal, le grand cardinal, l'homme de génie que tout le monde révère.

Le cardinal, tout médiocre qu'était le triomphe remporté sur un être aussi vulgaire que l'était Bonacieux, n'en jouit pas moins un instant ; puis, presque aussitôt, comme si une nouvelle pensée se présentait à son esprit, un sourire plissa ses lèvres, et tendant la main au mercier :

— Relevez-vous, mon ami, lui dit-il, vous êtes un brave homme.

— Le cardinal m'a touché la main ! s'écria Bonacieux ; le grand homme m'a appelé son ami !

— Oui, mon ami ; oui ! dit le cardinal avec ce ton paterne qu'il savait prendre quelquefois, mais qui ne trompait que les gens qui ne le connaissaient pas ; et comme on vous a soupçonné injustement, eh bien ! il vous faut une indemnité : tenez ! prenez ce sac de cent pistoles, et pardonnez-moi.

— Que je vous pardonne, Monseigneur ! dit Bonacieux hésitant à prendre le sac, craignant sans doute que ce prétendu don ne fût qu'une plaisanterie. Allons donc, vous n'y pensez pas !

— Ah ! mon cher Monsieur Bonacieux ! vous y mettez de la générosité, je le vois, et je vous en remercie. Ainsi donc, vous prenez ce sac, et vous vous en allez sans être trop mécontent ?

— Je m'en vais enchanté, Monseigneur.

— Adieu donc, ou plutôt au revoir, car j'espère que nous nous reverrons.

— Tant que Monseigneur voudra, et je suis bien aux ordres de Son Éminence.

— Ce sera souvent, soyez tranquille, car j'ai trouvé un charme extrême à votre conversation.

— Oh ! Monseigneur !

— Au revoir, Monsieur Bonacieux, au revoir.

Et le cardinal lui fit un signe de la main, auquel Bonacieux répondit en s'inclinant jusqu'à terre ; puis il sortit à reculons, et quand il fut dans l'antichambre, le cardinal l'entendit qui, dans son enthousiasme, criait à tue-tête : « Vive Monseigneur ! vive Son Éminence ! vive le grand cardinal ! » Le cardinal écouta en souriant cette brillante manifestation des sentiments enthousiastes de maître Bonacieux ; puis, quand les cris de Bonacieux se furent perdus dans l'éloignement :

— Bien, dit-il, voici désormais un homme qui se fera tuer pour moi.

Et le cardinal se mit à examiner avec la plus grande attention la carte de La Rochelle qui était étendue sur son bureau.

Comme il en était au plus profond de ses méditations stratégiques, la porte se rouvrit, et Rochefort rentra.

— Eh bien ? dit vivement le cardinal.

— Eh bien ! dit celui-ci, une jeune femme de vingt-six à vingt-huit ans et un homme de trente-cinq à quarante ans ont logé effectivement, l'un quatre jours et l'autre cinq, dans les maisons indiquées par Votre Éminence : mais la femme est partie cette nuit, et l'homme ce matin.

— C'étaient eux ! s'écria le cardinal, qui regardait à la pendule ; et maintenant, continua-t-il, il est trop tard pour faire courir après : la duchesse est à Tours, et le duc à Boulogne. C'est à Londres qu'il faut les rejoindre.

— Quels sont les ordres de Votre Éminence ?

— Pas un mot de ce qui s'est passé ; que la reine reste dans une sécurité parfaite ; qu'elle ignore que nous savons son secret ; qu'elle croie que nous sommes à la recherche d'une conspiration quelconque. Envoyez-moi le garde des sceaux Séguier.

— Et cet homme, qu'en a fait Votre Éminence ?

— Quel homme ? demanda le cardinal.

— Ce Bonacieux ?

— J'en ai fait tout ce qu'on pouvait en faire. J'en ai fait l'espion de sa femme.

Le comte de Rochefort s'inclina en homme qui reconnaît la grande supériorité du maître, et se retira.

Resté seul, le cardinal s'assit de nouveau, écrivit une lettre qu'il cacheta de son sceau particulier, puis il sonna. L'officier entra pour la quatrième fois.

— Faites-moi venir Vitray, dit-il, et dites-lui de s'apprêter pour un voyage.

Un instant après, l'homme qu'il avait demandé était debout devant lui, tout botté et tout éperonné.

— Vitray, dit-il, vous allez partir tout courant pour Londres. Vous ne vous arrêterez pas un instant en route. Vous remettrez cette lettre à Milady. Voici un bon de deux cents pistoles, passez chez mon trésorier et faites-vous payer. Il y en a autant à toucher si vous êtes ici de retour dans six jours et si vous avez bien fait ma commission.

Le messager, sans répondre un seul mot, s'inclina, prit la lettre, le bon de deux cents pistoles, et sortit. Voici ce que contenait la lettre :

« Milady,

« Trouvez-vous au premier bal où se trouvera le duc de Buckingham. Il aura à son pourpoint douze ferrets de diamants, approchez-vous de lui et coupez-en deux.

« Aussitôt que ces ferrets seront en votre possession, prévenez-moi. »

15

Gens de robe et gens d'épée

Le lendemain du jour où ces événements étaient arrivés, Athos n'ayant point reparu, M. de Tréville avait été prévenu par d'Artagnan et par Porthos de sa disparition.

Quant à Aramis, il avait demandé un congé de cinq jours, et il était à Rouen, disait-on, pour affaires de famille.

M. de Tréville était le père de ses soldats. Le moindre et le plus inconnu d'entre eux, dès qu'il portait l'uniforme de la compagnie, était aussi certain de son aide et de son appui qu'aurait pu l'être son frère lui-même.

Il se rendit donc à l'instant chez le lieutenant criminel. On fit venir l'officier qui commandait le poste de la Croix-Rouge, et les renseignements successifs apprirent qu'Athos était momentanément logé au For-l'Évêque.

Athos avait passé par toutes les épreuves que nous avons vu Bonacieux subir.

Athos fut aussi envoyé au cardinal, mais malheureusement le cardinal était au Louvre chez le roi.

C'était précisément le moment où M. de Tréville, sortant de chez le lieutenant criminel et de chez le gouverneur du For-l'Evêque, sans avoir pu trouver Athos, arriva chez Sa Majesté.

Comme capitaine des mousquetaires, M. de Tréville avait à toute heure ses entrées chez le roi.

— Vous arrivez bien, Monsieur, dit le roi, j'en apprends de belles sur le compte de vos mousquetaires.

— Et moi, dit froidement M. de Tréville, j'en ai de belles à apprendre à Votre Majesté sur ses gens de robe.

— Plaît-il ? dit le roi avec hauteur.

— J'ai l'honneur d'apprendre à Votre Majesté, continua M. de Tréville du même ton, qu'un parti de procureurs, de commissaires et de gens de police, gens fort estimables mais fort acharnés, à ce qu'il paraît, contre l'uniforme, s'est permis d'arrêter dans une maison, d'emmener en pleine rue et de jeter au For-l'Evêque un de mes mousquetaires, ou plutôt des vôtres, Sire, d'une conduite irréprochable, d'une réputation presque illustre, et que Votre Majesté connaît favorablement, M. Athos.

— Athos, dit le roi machinalement.

— M. Athos était donc allé rendre visite à l'un de ses amis alors absent, continua M. de Tréville, à un jeune Béarnais, cadet aux gardes de Sa Majesté, compagnie des Essarts ; mais à peine venait-il de s'installer chez son ami et de prendre un livre en l'attendant, qu'une nuée de recors[1] et de soldats mêlés ensemble vint faire le siège de la maison, enfonça plusieurs portes...

Le cardinal fit au roi un signe qui signifiait : « C'est pour l'affaire dont je vous ai parlé. »

— Nous savons tout cela, répliqua le roi, car tout cela s'est fait pour notre service.

— Alors, dit Tréville, c'est aussi pour le service de Votre Majesté qu'on a saisi un de mes mousquetaires innocent, qu'on l'a placé entre deux gardes comme un malfaiteur, et qu'on a promené au milieu d'une populace insolente ce galant homme, qui a versé dix fois son sang pour le service de Votre Majesté et qui est prêt à le répandre encore.

— Bah ! dit le roi ébranlé, les choses se sont passées ainsi ?

— M. de Tréville ne dit pas, reprit le cardinal avec le plus grand flegme, que ce mousquetaire innocent, que ce galant homme venait, une heure auparavant, de frapper à coups d'épée quatre commissaires instructeurs délégués par moi afin d'instruire une affaire de la plus haute importance.

— Je défie Votre Éminence de le prouver, s'écria M. de Tréville avec sa franchise toute gasconne et sa rudesse toute militaire, car, une heure auparavant, M. Athos, qui, je le confierai à Votre Majesté, est un homme de la plus haute qualité, me faisait l'honneur, après avoir dîné chez moi, de causer dans le salon de

---

1. Assistants d'un huissier.

mon hôtel avec M. le duc de La Trémouille et M. le comte de Châlus, qui s'y trouvaient.

Le roi regarda le cardinal.

— Un procès-verbal fait foi, dit le cardinal répondant tout haut à l'interrogation muette de Sa Majesté, et les gens maltraités ont dressé le suivant, que j'ai l'honneur de présenter à Votre Majesté.

— Procès-verbal de gens de robe vaut-il la parole d'honneur, répondit fièrement Tréville, d'homme d'épée ?

— Allons, que résolvons-nous ? dit le roi.

— Ordonnez, Sire, dit Richelieu, vous avez le droit de grâce.

— Le droit de grâce ne s'applique qu'aux coupables, dit Tréville, qui voulait avoir le dernier mot, et mon mousquetaire est innocent. Ce n'est donc pas grâce que vous allez faire, Sire, c'est justice.

— Et il est au For-l'Évêque ? dit le roi.

— Oui, Sire, et au secret, dans un cachot, comme le dernier des criminels.

— Diable ! diable ! murmura le roi, que faut-il faire ?

— Signer l'ordre de mise en liberté, et tout sera dit, reprit le cardinal ; je crois, comme Votre Majesté, que la garantie de M. de Tréville est plus que suffisante.

Tréville s'inclina respectueusement avec une joie qui n'était pas sans mélange de crainte ; il eût préféré une résistance opiniâtre du cardinal à cette soudaine facilité.

Le roi signa l'ordre d'élargissement, et Tréville l'emporta sans retard.

Au moment où il allait sortir, le cardinal lui fit un sourire amical, et dit au roi :

— Une bonne harmonie règne entre les chefs et les soldats, dans vos mousquetaires, Sire ; voilà qui est bien profitable au service et bien honorable pour tous.

« Il me jouera quelque mauvais tour incessamment, se disait Tréville ; on n'a jamais le dernier mot avec un pareil homme. Mais hâtons-nous, car le roi peut changer d'avis tout à l'heure ; et au bout du compte, il est plus difficile de remettre à la Bastille ou au For-l'Évêque un homme qui en est sorti, que d'y garder un prisonnier qu'on y tient. »

M. de Tréville fit triomphalement son entrée au For-l'Évêque, où il délivra le mousquetaire, que sa paisible indifférence n'avait pas abandonné.

Au reste, M. de Tréville avait raison de se défier du cardinal et de penser que tout n'était pas fini, car à peine le capitaine des mousquetaires eut-il fermé la porte derrière lui, que Son Éminence dit au roi :

— Maintenant que nous ne sommes plus que nous deux, nous allons causer sérieusement, s'il plaît à Votre Majesté. Sire, M. de Buckingham était à Paris depuis cinq jours et n'en est parti que ce matin.

16

Où M. le garde des Sceaux Séguier chercha plus d'une fois la cloche pour la sonner, comme il le faisait autrefois

Il est impossible de se faire une idée de l'impression que ces quelques mots produisirent sur Louis XIII. Il rougit et pâlit successivement ; et le cardinal vit tout d'abord[1] qu'il venait de conquérir d'un seul coup tout le terrain qu'il avait perdu.

— M. de Buckingham à Paris ! s'écria-t-il, et qu'y vient-il faire ?

— Sans doute conspirer avec nos ennemis les huguenots et les Espagnols.

— Non, pardieu, non ! conspirer contre mon honneur avec Mme de Chevreuse, Mme de Longueville et les Condé !

---

1. Tout de suite.

— Oh ! Sire, quelle idée ! La reine est trop sage, et surtout aime trop Votre Majesté.

— La femme est faible, Monsieur le cardinal, dit le roi ; et quant à m'aimer beaucoup, j'ai mon opinion faite sur cet amour.

— Je crois, et je le répète à Votre Majesté, que la reine conspire contre la puissance de son roi, mais je n'ai point dit contre son honneur.

— Et moi je vous dis contre tous deux ; moi je vous dis que la reine ne m'aime pas ; je vous dis qu'elle en aime un autre ; je vous dis qu'elle aime cet infâme duc de Buckingham ! Pourquoi ne l'avez-vous pas fait arrêter pendant qu'il était à Paris ?

— Arrêter le duc ! arrêter le Premier ministre du roi Charles Ier ! Y pensez-vous, Sire ? Quel éclat ! et si alors les soupçons de Votre Majesté, ce dont je continue à douter, avaient quelque consistance, quel éclat terrible ! quel scandale désespérant !

— Mais puisqu'il s'exposait comme un vagabond et un larronneur, il fallait...

Louis XIII s'arrêta lui-même, effrayé de ce qu'il allait dire, tandis que Richelieu, allongeant le cou, attendait inutilement la parole qui était restée sur les lèvres du roi.

— Il fallait ?

— Rien, dit le roi, rien. Mais, pendant tout le temps qu'il a été à Paris, vous ne l'avez pas perdu de vue ?

— Non, Sire.

— Et vous êtes sûr que la reine et lui ne se sont pas vus ?

— Je crois la reine trop attachée à ses devoirs, Sire.

155

— Mais ils ont correspondu, c'est à lui que la reine a écrit toute la journée ; Monsieur le duc, il me faut ces lettres !

— Il n'y aurait qu'un moyen.

— Lequel ?

— Ce serait de charger de cette mission M. le garde des Sceaux Séguier. La chose rentre complètement dans les devoirs de sa charge.

— Bien, cardinal, bien ; envoyez chercher M. le garde des Sceaux ; moi, j'entre chez la reine.

Et Louis XIII, ouvrant la porte de communication, s'engagea dans le corridor qui conduisait de chez lui chez Anne d'Autriche.

La reine était au milieu de ses femmes, Mme de Guitaut, Mme de Sablé, Mme de Montbazon et Mme de Guéménée. Dans un coin était cette camériste[2] espagnole doña Estefania, qui l'avait suivie de Madrid. Mme de Guéménée faisait la lecture, et tout le monde écoutait avec attention la lectrice, à l'exception de la reine, qui, au contraire, avait provoqué cette lecture afin de pouvoir, tout en feignant d'écouter, suivre le fil de ses propres pensées.

Ces pensées, toutes dorées qu'elles étaient par un dernier reflet d'amour, n'en étaient pas moins tristes. Anne d'Autriche, privée de la confiance de son mari, poursuivie par la haine du cardinal, qui ne pouvait lui pardonner d'avoir repoussé un sentiment plus doux, avait vu tomber autour d'elle ses serviteurs les

_____

2. Femme de chambre.

plus dévoués, ses confidents les plus intimes, ses favoris les plus chers.

C'est au moment où elle était plongée au plus profond et au plus sombre de ces réflexions, que la porte de la chambre s'ouvrit et que le roi entra.

La lectrice se tut à l'instant même, toutes les dames se levèrent, et il se fit un profond silence.

Quant au roi, il ne fit aucune démonstration de politesse ; seulement, s'arrêtant devant la reine :

— Madame, dit-il d'une voix altérée, vous allez recevoir la visite de M. le chancelier, qui vous communiquera certaines affaires dont je l'ai chargé.

La malheureuse reine, qu'on menaçait sans cesse de divorce, d'exil et de jugement même, pâlit sous son rouge et ne put s'empêcher de dire :

— Mais pourquoi cette visite, Sire ? Que me dira M. le chancelier que Votre Majesté ne puisse me dire elle-même ?

Le roi tourna sur ses talons sans répondre, et presque au même instant le capitaine des gardes, M. de Guitaut, annonça la visite de M. le chancelier.

La reine était encore debout quand il entra, mais à peine l'eut-elle aperçu, qu'elle se rassit sur son fauteuil et fit signe à ses femmes de se rasseoir sur leurs coussins et leurs tabourets, et, d'un ton de suprême hauteur :

— Que désirez-vous, Monsieur, demanda Anne d'Autriche, et dans quel but vous présentez-vous ici ?

— Pour y faire au nom du roi, Madame, et sauf tout le respect que j'ai l'honneur de devoir à Votre Majesté, une perquisition exacte dans vos papiers.

— Comment, Monsieur ! une perquisition dans mes papiers. À moi ! mais voilà une chose indigne !

— Veuillez me le pardonner, Madame, mais, dans cette circonstance, je ne suis que l'instrument dont le roi se sert. Sa Majesté ne sort-elle pas d'ici, et ne vous a-t-elle pas invitée elle-même à vous préparer à cette visite ?

— Fouillez donc, Monsieur ; je suis une criminelle, à ce qu'il paraît : Estefania, donnez les clefs de mes tables et de mes secrétaires.

Le chancelier fit pour la forme une visite dans les meubles, mais il savait bien que ce n'était pas dans un meuble que la reine avait dû serrer la lettre importante qu'elle avait écrite dans la journée.

Quand le chancelier eut rouvert et refermé vingt fois les tiroirs du secrétaire, il fallut bien, quelque hésitation qu'il éprouvât, il fallut bien, dis-je, en venir à la conclusion de l'affaire, c'est-à-dire à fouiller la reine elle-même. Le chancelier s'avança donc vers Anne d'Autriche, et d'un ton très perplexe et d'un air fort embarrassé :

— Et maintenant, dit-il, il me reste à faire la perquisition principale.

— Laquelle ? demanda la reine, qui ne comprenait pas ou plutôt qui ne voulait pas comprendre.

— Sa Majesté est certaine qu'une lettre a été écrite par vous dans la journée ; elle sait qu'elle n'a pas encore été envoyée à son adresse. Cette lettre ne se trouve ni dans votre table, ni dans votre secrétaire, et cependant cette lettre est quelque part.

— Oserez-vous porter la main sur votre reine ? dit Anne d'Autriche en se dressant de toute sa hauteur et en fixant sur le chancelier ses yeux, dont l'expression était devenue presque menaçante.

— Je suis un fidèle sujet du roi, Madame ; et tout ce que Sa Majesté ordonnera, je le ferai.

— Eh bien ! c'est vrai, dit Anne d'Autriche, et les espions de M. le cardinal l'ont bien servi. J'ai écrit aujourd'hui une lettre, cette lettre n'est point partie. La lettre est là.

Et la reine ramena sa belle main à son corsage.

— Alors donnez-moi cette lettre, Madame, dit le chancelier.

— Je ne la donnerai qu'au roi, Monsieur, dit Anne.

— Si le roi eût voulu que cette lettre lui fût remise, Madame, il vous l'eût demandée lui-même. Mais, je vous le répète, c'est moi qu'il a chargé de vous la réclamer, et si vous ne la rendiez pas…

— Eh bien ?

— C'est encore moi qu'il a chargé de vous la prendre.

— Comment, que voulez-vous dire ?

— Que mes ordres vont loin, Madame, et que je suis autorisé à chercher le papier suspect sur la personne même de Votre Majesté.

— Quelle horreur ! s'écria la reine.

— Veuillez donc, Madame, agir plus facilement.

— Cette conduite est d'une violence infâme ; savez-vous cela, Monsieur ?

— Le roi commande, Madame, excusez-moi.

— Je ne le souffrirai pas ; non, non, plutôt mourir !

Le chancelier fit une profonde révérence, puis avec l'intention bien patente[3] de ne pas reculer d'une semelle dans l'accomplissement de la commission

_____
3. Évidente, manifeste.

dont il s'était chargé, il s'approcha d'Anne d'Autriche, des yeux de laquelle on vit à l'instant même jaillir des pleurs de rage.

Anne d'Autriche fit un pas en arrière, si pâle qu'on eût dit qu'elle allait mourir ; et, s'appuyant de la main gauche, pour ne pas tomber, à une table qui se trouvait derrière elle, elle tira de la droite un papier de sa poitrine et le tendit au garde des Sceaux.

— Tenez, Monsieur, la voilà, cette lettre, s'écria la reine d'une voix entrecoupée et frémissante, prenez-la, et me délivrez de votre odieuse présence.

Le chancelier, qui de son côté tremblait d'une émotion facile à concevoir, prit la lettre, salua jusqu'à terre et se retira.

À peine la porte se fut-elle refermée sur lui, que la reine tomba à demi évanouie dans les bras de ses femmes.

Le chancelier alla porter la lettre au roi sans en avoir lu un seul mot. Le roi la prit d'une main tremblante, chercha l'adresse qui manquait, devint très pâle, l'ouvrit lentement, puis, voyant par les premiers mots qu'elle était adressée au roi d'Espagne, il lut très rapidement.

C'était tout un plan d'attaque contre le cardinal. La reine invitait son frère et l'empereur d'Autriche à faire semblant, blessés qu'ils étaient par la politique de Richelieu, dont l'éternelle préoccupation fut l'abaissement de la maison d'Autriche, de déclarer la guerre à la France et d'imposer comme condition de la paix le renvoi du cardinal : mais d'amour, il n'y en avait pas un seul mot dans toute cette lettre.

Le roi, tout joyeux, s'informa si le cardinal était encore au Louvre. On lui dit que Son Éminence attendait, dans le cabinet de travail, les ordres de Sa Majesté.

Le roi se rendit aussitôt près de lui.

— Tenez, duc, lui dit-il, vous aviez raison, et c'est moi qui avais tort ; toute l'intrigue est politique, et il n'était aucunement question d'amour dans cette lettre, que voici. En échange, il y est fort question de vous.

Le cardinal prit la lettre et la lut avec la plus grande attention ; puis, lorsqu'il fut arrivé au bout, il la relut une seconde fois.

— Eh bien ! Votre Majesté, dit-il, vous voyez jusqu'où vont mes ennemis : on vous menace de deux guerres, si vous ne me renvoyez pas. À votre place, en vérité, Sire, je céderais à de si puissantes instances, et ce serait de mon côté avec un véritable bonheur que je me retirerais des affaires.

— Monsieur le duc, dit le roi, je comprends, soyez tranquille ; tous ceux qui sont nommés dans cette lettre seront punis comme ils le méritent, et la reine elle-même.

— Que dites-vous là, Sire ? Dieu me garde que, pour moi, la reine éprouve la moindre contrariété ! Elle m'a toujours cru son ennemi, Sire, quoique Votre Majesté puisse attester que j'ai toujours pris chaudement son parti, même contre vous.

— C'est vrai, Monsieur le cardinal, dit le roi, et vous aviez raison, comme toujours ; mais la reine n'en mérite pas moins toute ma colère.

— La reine est mon ennemie, mais n'est pas la vôtre, Sire ; au contraire, elle est épouse dévouée, sou-

mise et irréprochable ; laissez-moi donc, Sire, inter-
céder pour elle près de Votre Majesté.

— Qu'elle s'humilie alors, et qu'elle revienne à moi
la première !

— Au contraire, Sire, donnez l'exemple ; vous avez
eu le premier tort, puisque c'est vous qui avez soupçonné la reine.

— Moi, revenir le premier ? dit le roi ; jamais !

— Sire, je vous en supplie.

— D'ailleurs, comment reviendrais-je le premier ?

— En faisant une chose que vous sauriez lui être
agréable.

— Laquelle ?

— Donnez un bal ; vous savez combien la reine
aime la darse ; je vous réponds que sa rancune ne
tiendra point à une pareille attention.

— Monsieur le cardinal, vous savez que je n'aime
pas tous les plaisirs mondains.

— La reine ne vous en sera que plus reconnaissante, puisqu'elle sait votre antipathie pour ce plaisir ;
d'ailleurs ce sera une occasion pour elle de mettre ces
beaux ferrets de diamants que vous lui avez donnés
l'autre jour à sa fête, et dont elle n'a pas encore eu le
temps de se parer.

— Nous verrons, Monsieur le cardinal, nous
verrons, dit le roi, qui, dans sa joie de trouver la reine
coupable d'un crime dont il se souciait peu, et inno-
cente d'une faute qu'il redoutait fort, était tout prêt
à se raccommoder avec elle ; nous verrons, mais, sur
mon honneur, vous êtes trop indulgent.

— Sire, dit le cardinal, laissez la sévérité aux

ministres, l'indulgence est la vertu royale ; usez-en, et vous verrez que vous vous en trouverez bien.

Sur quoi le cardinal, entendant la pendule sonner onze heures, s'inclina profondément, demandant congé au roi pour se retirer, et le suppliant de se raccommoder avec la reine.

Anne d'Autriche, qui, à la suite de la saisie de sa lettre, s'attendait à quelque reproche, fut fort étonnée de voir le lendemain le roi faire près d'elle des tentatives de rapprochement. Le roi profita de ce premier moment de retour pour lui dire qu'incessamment il comptait donner une fête.

C'était une chose si rare qu'une fête pour la pauvre Anne d'Autriche, qu'à cette annonce, ainsi que l'avait pensé le cardinal, la dernière trace de ses ressentiments disparut sinon dans son cœur, du moins sur son visage. Elle demanda quel jour cette fête devait avoir lieu, mais le roi répondit qu'il fallait qu'il s'entendît sur ce point avec le cardinal.

En effet, chaque jour le roi demandait au cardinal à quelle époque cette fête aurait lieu, et chaque jour le cardinal, sous un prétexte quelconque, différait de la fixer.

Dix jours s'écoulèrent ainsi.

Le huitième jour après la scène que nous avons racontée, le cardinal reçut une lettre, au timbre de Londres, qui contenait seulement ces quelques lignes :

« Je les ai ; mais je ne puis quitter Londres, attendu que je manque d'argent ; envoyez-moi cinq cents pistoles, et quatre ou cinq jours après les avoir reçues, je serai à Paris. »

Le jour même où le cardinal avait reçu cette lettre, le roi lui adressa sa question habituelle.

Richelieu compta sur ses doigts et se dit tout bas :

« Elle arrivera, dit-elle, quatre ou cinq jours après avoir reçu l'argent ; il faut quatre ou cinq jours à l'argent pour aller, quatre ou cinq jours à elle pour revenir, cela fait dix jours ; maintenant faisons la part des vents contraires, des mauvais hasards, des faiblesses de femme, et mettons cela à douze jours. »

— Eh bien ! Monsieur le duc, dit le roi, vous avez calculé ?

— Oui, Sire : nous sommes aujourd'hui le 20 septembre ; les échevins[4] de la ville donnent une fête le 3 octobre. Cela s'arrangera à merveille, car vous n'aurez pas l'air de faire un retour vers la reine.

Puis le cardinal ajouta :

— À propos, Sire, n'oubliez pas de dire à Sa Majesté, la veille de cette fête, que vous désirez voir comment lui vont ses ferrets de diamants.

---

4. Magistrats municipaux.

17

Le ménage Bonacieux

C'était la seconde fois que le cardinal revenait sur ce point des ferrets de diamants avec le roi. Louis XIII fut donc frappé de cette insistance, et pensa que cette recommandation cachait un mystère.

Il alla donc trouver la reine, et, selon son habitude, l'aborda avec de nouvelles menaces contre ceux qui l'entouraient. Louis XIII voulait une discussion de laquelle jaillît une lumière quelconque, convaincu qu'il était que le cardinal avait quelque arrière-pensée et lui machinait une surprise terrible comme en savait faire Son Éminence. Il arriva à ce but par sa persistance à accuser.

— Mais, s'écria Anne d'Autriche, lassée de ces vagues attaques ; mais, Sire, vous ne me dites pas tout ce que vous avez dans le cœur. Qu'ai-je donc fait ? Voyons, quel crime ai-je donc commis ? Il est impossible que Votre Majesté fasse tout ce bruit pour une lettre écrite à mon frère.

Le roi, attaqué à son tour d'une manière si directe, ne sut que répondre ; il pensa que c'était là le moment de placer la recommandation qu'il ne devait faire que la veille de la fête.

— Madame, dit-il avec majesté, il y aura incessamment bal à l'hôtel de ville ; j'entends que, pour faire honneur à nos braves échevins, vous y paraissiez en habit de cérémonie, et surtout parée des ferrets de diamants que je vous ai donnés pour votre fête. Voici ma réponse.

La réponse était terrible. Anne d'Autriche devint excessivement pâle, appuya sur une console sa main d'une admirable beauté, et qui semblait alors une main de cire, et, regardant le roi avec des yeux épouvantés, elle ne répondit pas une seule syllabe.

— Vous entendez, Madame, dit le roi, qui jouissait de cet embarras dans toute son étendue, mais sans en deviner la cause, vous entendez ?

— Oui, Sire, j'entends, balbutia la reine.

— Alors, c'est convenu, dit le roi, et voilà tout ce que j'avais à vous dire.

La reine fit une révérence, moins par étiquette que parce que ses genoux se dérobaient sous elle.

Le roi partit enchanté.

— Je suis perdue, murmura la reine, perdue, car le cardinal sait tout, et c'est lui qui pousse le roi, qui ne sait rien encore, mais qui saura tout bientôt. Je suis perdue ! Mon Dieu ! mon Dieu ! mon Dieu !

Aussi, en présence du malheur qui la menaçait et de l'abandon qui était le sien, éclata-t-elle en sanglots.

166

— Ne puis-je donc être bonne à rien à Votre Majesté ? dit tout à coup une voix pleine de douceur et de pitié.

La reine se retourna vivement, car il n'y avait pas à se tromper à l'expression de cette voix : c'était une amie qui parlait ainsi.

En effet, à l'une des portes qui donnaient dans l'appartement de la reine apparut la jolie Mme Bonacieux ; elle était occupée à ranger les robes et le linge dans un cabinet, lorsque le roi était entré ; elle n'avait pas pu sortir, et avait tout entendu.

La reine poussa un cri perçant en se voyant surprise, car dans son trouble elle ne reconnut pas d'abord la jeune femme qui lui avait été donnée par La Porte.

— Oh ! ne craignez rien, Madame, dit la jeune femme en joignant les mains et en pleurant elle-même des angoisses de la reine ; je suis à Votre Majesté corps et âme, et si loin que je sois d'elle, si inférieure que soit ma position, je crois que j'ai trouvé un moyen de tirer Votre Majesté de peine. Ces ferrets que le roi redemande, vous les avez donnés au duc de Buckingham, n'est-ce pas ? Ces ferrets étaient enfermés dans une petite boîte en bois de rose qu'il tenait sous son bras ? Est-ce que je me trompe ? Est-ce que ce n'est pas cela ?

— Oh ! mon Dieu ! mon Dieu ! murmura la reine dont les dents claquaient d'effroi.

— Eh bien ! ces ferrets, continua Mme Bonacieux, il faut les ravoir.

— Oui, sans doute, il le faut, s'écria la reine ; mais comment faire, comment y arriver ?

— Il faut envoyer quelqu'un au duc.

— Mais qui ?… qui ?… Á qui me fier ?

— Ayez confiance en moi, Madame ; faites-moi cet honneur, ma reine, et je trouverai le messager, moi !

— Mais il faudra écrire !

— Oh ! oui. C'est indispensable. Deux mots de la main de Votre Majesté et votre cachet particulier.

— Mais ces deux mots, c'est ma condamnation. C'est le divorce, l'exil !

— Oui, s'ils tombent entre des mains infâmes ! Mais je réponds que ces deux mots seront remis à leur adresse.

— Oh ! mon Dieu ! il faut donc que je remette ma vie, mon honneur, ma réputation entre vos mains !

— Oui ! oui, Madame, il le faut, et je sauverai tout cela, moi !

— Mais comment ? dites-le-moi, au moins.

— Mon mari a été remis en liberté il y a deux ou trois jours ; je n'ai pas encore eu le temps de le revoir. C'est un brave et honnête homme qui n'a ni haine, ni amour pour personne. Il fera ce que je voudrai : il partira sur un ordre de moi, sans savoir ce qu'il porte, et il remettra la lettre de Votre Majesté, sans même savoir qu'elle est de Votre Majesté, à l'adresse qu'elle indiquera.

La reine prit les deux mains de la jeune femme avec un élan passionné, la regarda comme pour lire au fond de son cœur, et ne voyant que sincérité dans ses beaux yeux, elle l'embrassa tendrement.

— Fais cela, s'écria-t-elle, et tu m'auras sauvé la vie, tu m'auras sauvé l'honneur !

— Donnez-moi donc cette lettre, Madame, le temps presse.

La reine courut à une petite table sur laquelle se trouvaient encre, papier et plumes : elle écrivit deux lignes, cacheta la lettre de son cachet et la remit à Mme Bonacieux.

— Tu vois l'adresse, ajouta la reine, parlant si bas qu'à peine pouvait-on entendre ce qu'elle disait : À Milord duc de Buckingham, à Londres.

— La lettre sera remise à lui-même.

— Généreuse enfant ! s'écria Anne d'Autriche.

Mme Bonacieux baisa les mains de la reine, cacha le papier dans son corsage et disparut avec la légèreté d'un oiseau.

Dix minutes après, elle était chez elle ; comme elle l'avait dit à la reine, elle n'avait pas revu son mari depuis sa mise en liberté ; elle ignorait donc le changement qui s'était fait en lui à l'endroit du cardinal, changement qu'avaient opéré la flatterie et l'argent de Son Éminence et qu'avaient corroboré[1], depuis, deux ou trois visites du comte de Rochefort, devenu le meilleur ami de Bonacieux, auquel il avait fait croire sans beaucoup de peine qu'aucun sentiment coupable n'avait amené l'enlèvement de sa femme, mais que c'était seulement une précaution politique.

Elle trouva M. Bonacieux seul : le pauvre homme remettait à grand-peine de l'ordre dans la maison, dont il avait trouvé les meubles à peu près brisés et les armoires à peu près vides. Quant à la servante, elle s'était enfuie lors de l'arrestation de son maître.

---

1. Confirmé, fortifié.

Les deux époux, quoiqu'ils ne se fussent pas vus depuis plus de huit jours, et que pendant cette semaine de graves événements eussent passé entre eux, s'abordèrent donc avec une certaine préoccupation ; néanmoins, M. Bonacieux manifesta une joie réelle et s'avança vers sa femme à bras ouverts.

Mme Bonacieux lui présenta le front[2].

— Causons un peu, dit-elle.

— Comment ? dit Bonacieux étonné.

— Oui, sans doute, j'ai une chose de la plus haute importance à vous dire.

— Au fait, et moi aussi, j'ai quelques questions assez sérieuses à vous adresser. Expliquez-moi un peu votre enlèvement, je vous prie.

— Il ne s'agit point de cela pour le moment, dit Mme Bonacieux.

— Et de quoi s'agit-il donc ?

— Une chose du plus haut intérêt et de laquelle dépend notre fortune à venir peut-être.

— Notre fortune a fort changé de face depuis que je vous ai vue, Madame Bonacieux, et je ne serais pas étonné que d'ici à quelques mois elle ne fît envie à beaucoup de gens.

— Oui, surtout si vous voulez suivre les instructions que je vais vous donner.

— À moi ?

— Oui, à vous. Il y a une bonne et sainte action à faire, Monsieur, et beaucoup d'argent à gagner en même temps.

---

2. L'aborda directement, sans ménagement.

— Ce que vous avez à me demander est donc bien grave ?

— Oui.

— Que faut-il faire ?

— Vous partirez sur-le-champ, je vous remettrai un papier dont vous ne vous dessaisirez sous aucun prétexte, et que vous remettrez en main propre.

— Et pour où partirai-je ?

— Pour Londres.

— Moi, pour Londres ! Allons donc, vous raillez, je n'ai pas affaire à Londres.

— Mais d'autres ont besoin que vous y alliez.

— Quels sont ces autres ? Je vous avertis, je ne fais plus rien en aveugle, et je veux savoir non seulement à quoi je m'expose, mais encore pour qui je m'expose.

— Une personne illustre vous envoie, une personne illustre vous attend : la récompense dépassera vos désirs, voilà tout ce que je puis vous promettre.

— Des intrigues encore, toujours des intrigues ! merci, je m'en défie maintenant, et M. le cardinal m'a éclairé là-dessus.

— Le cardinal ! s'écria Mme Bonacieux, vous avez vu le cardinal !

— Il m'a fait appeler, répondit fièrement le mercier.

— Et vous vous êtes rendu à son invitation, imprudent que vous êtes.

— Oui, Madame, et comme son serviteur je ne permettrai pas que vous vous livriez à des complots contre la sûreté de l'État, et que vous serviez, vous, les intrigues d'une femme qui n'est pas Française et qui a le cœur espagnol. Heureusement, le grand car-

171

dinal est là, son regard vigilant surveille et pénètre jusqu'au fond du cœur.

— Ah ! vous êtes cardinaliste, Monsieur, s'écria-t-elle ; ah ! vous servez le parti de ceux qui maltraitent votre femme et qui insultent votre reine !

— Les intérêts particuliers ne sont rien devant les intérêts de tous. Je suis pour ceux qui sauvent l'État, dit avec emphase Bonacieux.

— Monsieur, dit la jeune femme, je vous savais lâche, avare et imbécile, mais je ne vous savais pas infâme !

— Madame, dit Bonacieux, qui n'avait jamais vu sa femme en colère, et qui reculait devant le courroux conjugal ; Madame, que dites-vous donc ?

— Je dis que vous êtes un misérable ! continua Mme Bonacieux, qui vit qu'elle reprenait quelque influence sur son mari. Ah ! vous faites de la politique, vous ! et de la politique cardinaliste encore ! Ah ! vous vous vendez, corps et âme, au démon pour de l'argent.

Pour le coup, Mme Bonacieux vit qu'elle avait été trop loin.

— Eh bien, soit ! dit-elle. Peut-être, au bout du compte, avez-vous raison : un homme en sait plus long que les femmes en politique, et vous surtout, Monsieur Bonacieux, qui avez causé avec le cardinal. Et cependant, il est bien dur, ajouta-t-elle, que mon mari, un homme sur l'affection duquel je croyais pouvoir compter, me traite aussi disgracieusement et ne satisfasse point à ma fantaisie.

— C'est que vos fantaisies peuvent mener trop loin, reprit Bonacieux, et je m'en défie.

— J'y renoncerai donc, dit la jeune femme en soupirant ; c'est bien, n'en parlons plus.

— Si, au moins, vous me disiez quelle chose je vais faire à Londres, reprit Bonacieux, qui se rappelait un peu tard que Rochefort lui avait recommandé d'essayer de surprendre les secrets de sa femme.

— Il est inutile que vous le sachiez, dit la jeune femme, qu'une défiance instinctive repoussait maintenant en arrière : il s'agissait d'une bagatelle comme en désirent les femmes, d'une emplette sur laquelle il y avait beaucoup à gagner.

Mais plus la jeune femme se défendait, plus au contraire Bonacieux pensa que le secret qu'elle refusait de lui confier était important. Il résolut donc de courir à l'instant même chez le comte de Rochefort, et de lui dire que la reine cherchait un messager pour l'envoyer à Londres.

— Pardon, si je vous quitte, ma chère Madame Bonacieux, dit-il ; mais, ne sachant pas que vous me viendriez voir, j'avais pris rendez-vous avec un de mes amis ; je reviens à l'instant même, et si vous voulez m'attendre seulement une demi-minute, aussitôt que j'en aurai fini avec cet ami, je reviens vous prendre, et, comme il commence à se faire tard, je vous reconduis au Louvre.

Bonacieux baisa la main de sa femme, et s'éloigna rapidement.

— Allons, dit Mme Bonacieux, lorsque son mari eut refermé la porte de la rue, et qu'elle se trouva seule, il ne manquait plus à cet imbécile que d'être cardinaliste ! Ah ! Monsieur Bonacieux ! je ne vous ai jamais beaucoup aimé ; maintenant, c'est bien pis : je vous hais ! et, sur ma parole, vous me le paierez !

Au moment où elle disait ces mots, un coup frappé au plafond lui fit lever la tête, et une voix, qui parvint à elle à travers le plancher, lui cria :

— Chère Madame Bonacieux, ouvrez-moi la petite porte de l'allée, et je vais descendre près de vous.

18

L'amant et le mari

— Ah ! Madame, dit d'Artagnan en entrant par la porte que lui ouvrait la jeune femme, permettez-moi de vous le dire, vous avez là un triste mari.

— Vous avez donc entendu notre conversation ? demanda vivement Mme Bonacieux en regardant d'Artagnan avec inquiétude.

— Tout entière.

— Mais comment cela ? mon Dieu !

— Par un procédé à moi connu, et par lequel j'ai entendu aussi la conversation plus animée que vous avez eue avec les sbires du cardinal.

— Et qu'avez-vous compris dans ce que nous disions ?

— Mille choses : d'abord, que votre mari est un niais et un sot, heureusement ; puis, que vous étiez embarrassée, ce dont j'ai été fort aise, et que cela me donne une occasion de me mettre à votre service, et

Dieu sait si je suis prêt à me jeter dans le feu pour vous ; enfin que la reine a besoin qu'un homme brave, intelligent et dévoué fasse pour elle un voyage à Londres. J'ai au moins deux des trois qualités qu'il vous faut, et me voilà.

Mme Bonacieux ne répondit pas, mais son cœur battait de joie, et une secrète espérance brilla à ses yeux.

— Et quelle garantie me donnerez-vous, demanda-t-elle, si je consens à vous confier cette mission ?

— Mon amour pour vous. Voyons, dites, ordonnez : que faut-il faire ?

Alors la jeune femme lui confia le terrible secret dont le hasard lui avait déjà révélé une partie en face de la Samaritaine. Ce fut leur mutuelle déclaration d'amour.

D'Artagnan rayonnait de joie et d'orgueil. Ce secret qu'il possédait, cette femme qu'il aimait, la confiance et l'amour, faisaient de lui un géant.

— Je pars, dit-il, je pars sur-le-champ.

— Maintenant, autre chose.

— Quoi ? demanda d'Artagnan, voyant que Mme Bonacieux hésitait à continuer.

— Vous n'avez peut-être pas d'argent ?

— Peut-être est de trop, dit d'Artagnan en souriant.

— Alors, reprit Mme Bonacieux en ouvrant une armoire et en tirant de cette armoire le sac qu'une demi-heure auparavant caressait si amoureusement son mari, prenez ce sac.

— Celui du cardinal !

— Celui du cardinal, répondit Mme Bonacieux ; vous voyez qu'il se présente sous un aspect assez respectable.

— Pardieu ! s'écria d'Artagnan, ce sera une chose doublement divertissante que de sauver la reine avec l'argent de Son Éminence !

— Vous êtes un aimable et charmant jeune homme, dit Mme Bonacieux. Croyez que Sa Majesté ne sera point ingrate.

— Oh ! je suis déjà grandement récompensé ! s'écria d'Artagnan. Je vous aime, vous me permettez de vous le dire ; c'est déjà plus de bonheur que je n'en osais espérer.

— Silence ! dit Mme Bonacieux en tressaillant.

— Quoi ?

— On parle dans la rue.

— C'est la voix...

— De mon mari. Oui, je l'ai reconnue !

— Vous avez raison, il faut sortir.

— Sortir, comment ? Il nous verra si nous sortons.

— Alors il faut monter chez moi.

Une fois chez lui, pour plus de sûreté, le jeune homme barricada la porte ; ils s'approchèrent tous deux de la fenêtre, et par une fente du volet ils virent M. Bonacieux qui causait avec un homme en manteau.

À la vue de l'homme en manteau, d'Artagnan bondit, et, tirant son épée à demi, s'élança vers la porte. C'était l'homme de Meung.

— Qu'allez-vous faire ? s'écria Mme Bonacieux ; vous nous perdez.

— Mais j'ai juré de tuer cet homme ! dit d'Artagnan.

— Votre vie est vouée en ce moment et ne vous appartient pas. Au nom de la reine, je vous défends de vous jeter dans aucun péril étranger à celui du voyage.

— Et en votre nom, n'ordonnez-vous rien ?

— En mon nom, dit Mme Bonacieux avec une vive émotion ; en mon nom, je vous en prie. Mais écoutons, il me semble qu'ils parlent de moi.

D'Artagnan se rapprocha de la fenêtre et prêta l'oreille.

M. Bonacieux avait rouvert sa porte, et voyant l'appartement vide, il était revenu à l'homme au manteau qu'un instant il avait laissé seul.

— Elle est partie, dit-il, elle sera retournée au Louvre.

— Vous êtes sûr, répondit l'étranger, qu'elle ne s'est pas doutée dans quelles intentions vous êtes sorti ?

— Non, répondit Bonacieux avec suffisance ; c'est une femme trop superficielle.

— Le cadet aux gardes est-il chez lui ?

— Je ne le crois pas ; comme vous le voyez, son volet est fermé, et l'on ne voit aucune lumière briller à travers les fentes.

— N'importe, rentrons toujours chez vous, nous serons plus en sûreté que sur le seuil d'une porte.

— Ah ! mon Dieu ! murmura Mme Bonacieux, nous n'allons plus rien entendre.

— Au contraire, dit d'Artagnan, nous n'entendrons que mieux.

D'Artagnan enleva trois ou quatre carreaux étendit un tapis à terre, se mit à genoux, et fit signe à

Mme Bonacieux de se pencher, comme il le faisait, vers l'ouverture.

— Ainsi, la nouvelle que je vous ai apportée a donc une valeur… ?

— Très grande, mon cher Bonacieux, je ne vous le cache pas.

— Alors le cardinal sera content de moi ?

— Je n'en doute pas.

— Le grand cardinal !

— Vous êtes sûr que, dans sa conversation avec vous, votre femme n'a pas prononcé de noms propres ?

— Je ne crois pas.

— Elle n'a nommé ni Mme de Chevreuse, ni M. de Buckingham, ni Mme de Vernet ?

— Non, elle m'a dit seulement qu'elle voulait m'envoyer à Londres pour servir les intérêts d'une personne illustre.

— Le traître ! murmura Mme Bonacieux.

— Silence ! dit d'Artagnan en lui prenant une main qu'elle lui abandonna sans y penser.

— N'importe, continua l'homme au manteau, vous êtes un niais de n'avoir pas feint d'accepter la commission, vous auriez la lettre à présent ; l'État qu'on menace était sauvé, et vous…

— Et moi ?

— Eh bien, vous ! le cardinal vous donnait des lettres de noblesse…

— Il vous l'a dit ?

— Oui, je sais qu'il voulait vous faire cette surprise.

— Soyez tranquille, reprit Bonacieux ; ma femme m'adore, et il est encore temps.

— Comment est-il encore temps ? reprit l'homme au manteau.

— Je retourne au Louvre, je demande Mme Bonacieux, je dis que j'ai réfléchi, je renoue l'affaire, j'obtiens la lettre, et je cours chez le cardinal.

— Eh bien ! allez vite ; je reviendrai bientôt savoir le résultat de votre démarche.

L'inconnu sortit.

— L'infâme ! dit Mme Bonacieux en adressant encore cette épithète à son mari.

— Silence ! répéta d'Artagnan en lui serrant la main plus fortement encore.

Un hurlement terrible interrompit alors les réflexions de d'Artagnan et de Mme Bonacieux. C'était son mari, qui s'était aperçu de la disparition de son sac et qui criait au voleur.

— Oh ! mon Dieu ! s'écria Mme Bonacieux, il va ameuter tout le quartier.

Bonacieux cria longtemps ; mais voyant que personne ne venait, il sortit en continuant de crier, et l'on entendit sa voix qui s'éloignait dans la direction de la rue du Bac.

— Et maintenant qu'il est parti, à votre tour de vous éloigner, dit Mme Bonacieux ; du courage, mais surtout de la prudence, et songez que vous vous devez à la reine.

— À elle et à vous ! s'écria d'Artagnan.

La jeune femme ne répondit que par la vive rougeur qui colora ses joues. Quelques instants après, d'Artagnan sortit à son tour, enveloppé, lui aussi, d'un grand manteau que retroussait cavalièrement le fourreau d'une longue épée.

Mme Bonacieux le suivit des yeux avec ce long regard d'amour dont la femme accompagne l'homme qu'elle se sent aimer ; mais lorsqu'il eut disparu à l'angle de la rue, elle tomba à genoux, et joignant les mains :

— Ô mon Dieu ! s'écria-t-elle, protégez la reine, protégez-moi !

19

Plan de campagne

D'Artagnan se rendit droit chez M. de Tréville. Il avait réfléchi que, dans quelques minutes, le cardinal serait averti par ce damné inconnu, qui paraissait être son agent, et il pensait avec raison qu'il n'y avait pas un instant à perdre.

M. de Tréville était dans son salon avec sa cour habituelle de gentilshommes. D'Artagnan, que l'on connaissait comme un familier de la maison, alla droit à son cabinet et le fit prévenir qu'il l'attendait pour chose d'importance.

D'Artagnan était là depuis cinq minutes à peine, lorsque M. de Tréville entra.

— Vous m'avez fait demander, mon jeune ami ? dit M. de Tréville.

— Oui, Monsieur, dit d'Artagnan, et vous me pardonnerez, je l'espère, de vous avoir dérangé, quand vous saurez de quelle chose importante il est question.

— Dites alors, je vous écoute.

— Il ne s'agit de rien de moins, dit d'Artagnan, en baissant la voix, que de l'honneur et peut-être de la vie de la reine.

— Que dites-vous là ? demanda M. de Tréville en regardant tout autour de lui s'ils étaient bien seuls, et en ramenant son regard interrogateur sur d'Artagnan.

— Je dis, Monsieur, que le hasard m'a rendu maître d'un secret…

— Que vous garderez, j'espère, jeune homme, sur votre vie.

— Mais que je dois vous confier, à vous, Monsieur, car vous seul pouvez m'aider dans la mission que je viens de recevoir de Sa Majesté.

— Gardez votre secret, jeune homme, et dites-moi ce que vous désirez.

— Je désire que vous obteniez pour moi, de M. des Essarts, un congé de quinze jours.

— Quand cela ?

— Cette nuit même.

— Vous quittez Paris ?

— Je vais en mission.

— Pouvez-vous me dire où ?

— À Londres.

— Quelqu'un a-t-il intérêt à ce que vous n'arriviez pas à votre but ?

— Le cardinal, je le crois, donnerait tout au monde pour m'empêcher de réussir.

— Et vous partez seul ?

— Je pars seul.

— Croyez-moi, continua Tréville, dans les entreprises de ce genre, il faut être quatre pour arriver un.

— Ah ! vous avez raison, Monsieur, dit d'Artagnan ; mais vous connaissez Athos, Porthos et Aramis, et vous savez si je puis disposer d'eux.

— Je puis leur envoyer à chacun un congé de quinze jours, voilà tout : à Athos, que sa blessure fait toujours souffrir, pour aller aux eaux de Forges ! à Porthos et à Aramis, pour suivre leur ami, qu'ils ne veulent pas abandonner dans une si douloureuse position. L'envoi de leur congé sera la preuve que j'autorise leur voyage.

— Merci, Monsieur, et vous êtes cent fois bon.

— Allez donc les trouver à l'instant même, et que tout s'exécute cette nuit. Ah ! et d'abord écrivez-moi votre requête à M. des Essarts.

D'Artagnan formula cette demande, et M. de Tréville, en la recevant de ses mains, assura qu'avant deux heures du matin les quatre congés seraient au domicile respectif des voyageurs.

— Ayez la bonté d'envoyer le mien chez Athos, dit d'Artagnan. Je craindrais, en rentrant chez moi, d'y faire quelque mauvaise rencontre.

— Soyez tranquille. Adieu et bon voyage !

D'Artagnan salua M. de Tréville, qui lui tendit la main ; d'Artagnan la lui serra avec un respect mêlé de reconnaissance. Depuis qu'il était arrivé à Paris, il n'avait eu qu'à se louer de cet excellent homme, qu'il avait toujours trouvé digne, loyal et grand.

Sa première visite fut pour Aramis ; il n'était pas revenu chez son ami depuis la fameuse soirée où il avait suivi Mme Bonacieux.

Comme les deux amis causaient depuis quelques instants, un serviteur de M. de Tréville entra porteur d'un paquet cacheté.

— Qu'est-ce là ? demanda Aramis.

— Le congé que Monsieur a demandé, répondit le laquais.

— Moi, je n'ai pas demandé de congé.

— Taisez-vous et prenez, dit d'Artagnan. Et vous, mon ami, voici une demi-pistole pour votre peine ; vous direz à M. de Tréville que M. Aramis le remercie bien sincèrement. Allez.

Le laquais salua jusqu'à terre et sortit.

— Que signifie cela ? demanda Aramis.

— Prenez ce qu'il vous faut pour un voyage de quinze jours, et suivez-moi.

— Mais je ne puis quitter Paris en ce moment, sans savoir…

Aramis s'arrêta.

— Ce qu'elle est devenue, n'est-ce pas ? continua d'Artagnan.

— Qui ? reprit Aramis.

— La femme qui était ici, la femme au mouchoir brodé.

— Qui vous a dit qu'il y avait une femme ici ? répliqua Aramis en devenant pâle comme la mort.

— Je l'ai vue.

— Et vous savez qui elle est ?

— Je crois m'en douter, du moins.

— Écoutez, dit Aramis, puisque vous savez tant de choses, savez-vous ce qu'est devenue cette femme ?

— Je présume qu'elle est retournée à Tours.

— À Tours ? oui, c'est bien cela ; vous la connaissez. Mais comment est-elle retournée à Tours sans me rien dire ?

— Parce qu'elle a craint d'être arrêtée.

— Comment ne m'a-t-elle pas écrit ?

— Parce qu'elle craint de vous compromettre.

— D'Artagnan, vous me rendez la vie ! s'écria Aramis. Je me croyais méprisé, trahi. J'étais si heureux de la revoir ! Je ne pouvais croire qu'elle risquât sa liberté pour moi, et cependant pour quelle cause serait-elle revenue à Paris ?

— Pour la cause qui aujourd'hui nous fait aller en Angleterre.

— Eh bien ! donc, puisqu'elle a quitté Paris et que vous en êtes sûr, d'Artagnan, rien ne m'y arrête plus, et je suis prêt à vous suivre. Vous dites que nous allons ?...

— Chez Athos, pour le moment, et si vous voulez venir, je vous invite même à vous hâter, car nous avons déjà perdu beaucoup de temps. À propos, prévenez Bazin.

— Bazin vient avec nous ? demanda Aramis.

— Peut-être. En tout cas, il est bon qu'il nous suive pour le moment chez Athos.

Aramis appela Bazin, et après lui avoir ordonné de le venir joindre chez Athos :

— Partons donc, dit-il en prenant son manteau, son épée et ses trois pistolets, et en ouvrant inutilement trois ou quatre tiroirs pour voir s'il n'y trouverait pas quelque pistole égarée.

Puis, quand il se fut bien assuré que cette recherche était superflue, il suivit d'Artagnan en se demandant comment il se faisait que le jeune cadet aux gardes sût aussi bien que lui quelle était la femme à laquelle il avait donné l'hospitalité, et sût mieux que lui ce qu'elle était devenue.

Seulement, en sortant, Aramis posa sa main sur le bras de d'Artagnan, et le regardant fixement :

— Vous n'avez parlé de cette femme à personne ? dit-il.

— À personne au monde.

— Pas même à Athos et à Porthos ?

— Je ne leur en ai pas soufflé le moindre mot.

— À la bonne heure.

Et, tranquille sur ce point important, Aramis continua son chemin avec d'Artagnan, et tous deux arrivèrent bientôt chez Athos.

Ils le trouvèrent tenant son congé d'une main et la lettre de M. de Tréville de l'autre.

— Pouvez-vous m'expliquer ce que signifient ce congé et cette lettre que je viens de recevoir ?

— Eh bien, ce congé et cette lettre signifient qu'il faut me suivre, Athos.

— Aux eaux de Forges ?

— Là ou ailleurs.

— Pour le service du roi ?

— Du roi ou de la reine : ne sommes-nous pas serviteurs de Leurs Majestés ?

En ce moment, Porthos entra.

— Pardieu, dit-il, voici une chose étrange : depuis quand, dans les mousquetaires, accorde-t-on aux gens des congés sans qu'ils les demandent ?

— Depuis, dit d'Artagnan, qu'ils ont des amis qui les demandent pour eux.

— Ah ! ah ! dit Porthos, il paraît qu'il y a du nouveau ici ?

— Oui, nous partons, dit Aramis.

— Pour quel pays ? demanda Porthos.

— Ma foi, je n'en sais trop rien, dit Athos : demande cela à d'Artagnan.

— Pour Londres, Messieurs, dit d'Artagnan.

— Pour Londres ! s'écria Porthos et qu'allons-nous faire à Londres ?

— Voilà ce que je ne puis vous dire, Messieurs, et il faut vous fier à moi.

— Mais pour aller à Londres, ajouta Porthos, il faut de l'argent, et je n'en ai pas.

— Ni moi, dit Aramis.

— Ni moi, dit Athos.

— J'en ai, moi, reprit d'Artagnan en tirant son trésor de sa poche et en le posant sur la table. Il y a dans ce sac trois cents pistoles prenons-en chacun soixante-quinze ; c'est autant qu'il en faut pour aller à Londres et pour en revenir.

— Et maintenant, quand partons-nous ? dit Athos.

— Tout de suite, répondit d'Artagnan, il n'y a pas une minute à perdre.

— Holà ! Grimaud, Planchet, Mousqueton, Bazin ! crièrent les quatre jeunes gens appelant leurs laquais, graissez nos bottes et ramenez les chevaux de l'hôtel.

En effet, chaque mousquetaire laissait à l'hôtel général comme à une caserne son cheval et celui de son laquais.

Planchet, Grimaud, Mousqueton et Bazin partirent en toute hâte.

20

Voyage

À deux heures du matin, nos quatre aventuriers sortirent de Paris par la barrière Saint-Denis ; tant qu'il fit nuit, ils restèrent muets ; malgré eux, ils subissaient l'influence de l'obscurité et voyaient des embûches partout.

Aux premiers rayons du jour, leurs langues se délièrent ; avec le soleil, la gaieté revint : c'était comme à la veille d'un combat, le cœur battait, les yeux riaient ; on sentait que la vie qu'on allait peut-être quitter était, au bout du compte, une bonne chose.

Les valets suivaient, armés jusqu'aux dents.

Tout alla bien jusqu'à Chantilly, où l'on arriva vers les huit heures du matin. Il fallait déjeuner. On descendit devant une auberge que recommandait une enseigne représentant saint Martin donnant la moitié de son manteau à un pauvre. On enjoignit aux laquais de ne pas desseller les chevaux et de se tenir prêts à repartir immédiatement.

On entra dans la salle commune, et l'on se mit à table.

Un gentilhomme, qui venait d'arriver par la route de Dammartin, était assis à cette même table et déjeunait. Il entama la conversation sur la pluie et le beau temps ; les voyageurs répondirent : il but à leur santé ; les voyageurs lui rendirent sa politesse.

Mais au moment où Mousqueton venait annoncer que les chevaux étaient prêts et où l'on se levait de table, l'étranger proposa à Porthos la santé du cardinal. Porthos répondit qu'il ne demandait pas mieux, si l'étranger à son tour voulait boire à la santé du roi. L'étranger s'écria qu'il ne connaissait d'autre roi que Son Éminence. Porthos l'appela ivrogne ; l'étranger tira son épée.

— Vous avez fait une sottise, dit Athos ; n'importe, il n'y a plus à reculer maintenant : tuez cet homme et venez nous rejoindre le plus vite que vous pourrez.

Et tous trois remontèrent à cheval et repartirent à toute bride, tandis que Porthos promettait à son adversaire de le perforer de tous les coups connus dans l'escrime.

— Et d'un ! dit Athos au bout de cinq cents pas.

— Mais pourquoi cet homme s'est-il attaqué à Porthos plutôt qu'à tout autre ? demanda Aramis.

— Parce que, Porthos parlant plus haut que nous tous, il l'a pris pour le chef, dit d'Artagnan.

— J'ai toujours dit que ce cadet de Gascogne était un puits de sagesse, murmura Athos.

Et les voyageurs continuèrent leur route.

À Beauvais, on s'arrêta deux heures, tant pour faire souffler les chevaux que pour attendre Porthos. Au bout de deux heures, comme Porthos n'arrivait pas, ni aucune nouvelle de lui, on se remit en chemin.

À une lieue de Beauvais, à un endroit où le chemin se trouvait resserré entre deux talus, on rencontra huit ou dix hommes qui, profitant de ce que la route était dépavée en cet endroit, avaient l'air d'y travailler en y creusant des trous et en pratiquant des ornières boueuses.

Aramis, craignant de salir ses bottes dans ce mortier artificiel, les apostropha durement. Athos voulut le retenir, il était trop tard. Les ouvriers se mirent à railler les voyageurs, et firent perdre par leur insolence la tête même au froid Athos qui poussa son cheval contre l'un d'eux.

Alors chacun de ces hommes recula jusqu'au fossé et y prit un mousquet caché ; il en résulta que nos sept voyageurs furent littéralement passés par les armes. Aramis reçut une balle qui lui traversa l'épaule, et Mousqueton une autre balle qui se logea dans les parties charnues qui prolongent le bas des reins. Cependant Mousqueton seul tomba de cheval, non pas qu'il fût grièvement blessé ; mais, comme il ne pouvait voir sa blessure, sans doute il crut être plus dangereusement blessé qu'il ne l'était.

— C'est une embuscade, dit d'Artagnan, ne brûlons pas une amorce[1], et en route.

---

1. Ne tirons pas un coup de pistolet.

Aramis, tout blessé qu'il était, saisit la crinière de son cheval, qui l'emporta avec les autres. Celui de Mousqueton les avait rejoints, et galopait tout seul à son rang.

— Cela nous fera un cheval de rechange, dit Athos.

— J'aimerais mieux un chapeau, dit d'Artagnan ; le mien a été emporté par une balle. C'est bien heureux, ma foi, que la lettre que je porte n'ait pas été dedans.

— Ah çà, mais ils vont tuer le pauvre Porthos quand il passera, dit Aramis.

— Si Porthos était sur ses jambes, il nous aurait rejoints maintenant, dit Athos. M'est avis que, sur le terrain, l'ivrogne se sera dégrisé.

Et l'on galopa encore pendant deux heures, quoique les chevaux fussent si fatigués, qu'il était à craindre qu'ils ne refusassent bientôt le service.

Les voyageurs avaient pris la traverse, espérant de cette façon être moins inquiétés, mais, à Crèvecœur, Aramis déclara qu'il ne pouvait aller plus loin. En effet, il avait fallu tout le courage qu'il cachait sous sa forme élégante et sous ses façons polies pour arriver jusque-là. À tout moment il pâlissait, et l'on était obligé de le soutenir sur son cheval ; on le descendit à la porte d'un cabaret, on lui laissa Bazin qui, au reste, dans une escarmouche, était plus embarrassant qu'utile, et l'on repartit dans l'espérance d'aller coucher à Amiens.

— Morbleu ! dit Athos, quand ils se retrouvèrent en route, réduits à deux maîtres et à Grimaud et Planchet, morbleu ! je ne serai plus leur dupe, et je vous réponds qu'ils ne me feront pas ouvrir la bouche ni tirer l'épée d'ici à Calais. J'en jure…

— Ne jurons pas, dit d'Artagnan, galopons, si toutefois nos chevaux y consentent.

Et les voyageurs enfoncèrent leurs éperons dans le ventre de leurs chevaux, qui, vigoureusement stimulés, retrouvèrent des forces. On arriva à Amiens à minuit, et l'on descendit à l'auberge du *Lis d'Or*. L'hôtelier avait l'air du plus honnête homme de la terre, il reçut les voyageurs son bougeoir d'une main et son bonnet de coton de l'autre ; il voulut loger les deux voyageurs chacun dans une charmante chambre malheureusement chacune de ces chambres était à l'extrémité de l'hôtel. D'Artagnan et Athos refusèrent ; l'hôte répondit qu'il n'y en avait cependant pas d'autres dignes de Leurs Excellences ; mais les voyageurs déclarèrent qu'ils coucheraient dans la chambre commune, chacun sur un matelas qu'on leur jetterait à terre. L'hôte insista, les voyageurs tinrent bon ; il fallut faire ce qu'ils voulurent.

Ils venaient de disposer leur lit et de barricader leur porte en dedans, lorsqu'on frappa au volet de la cour ; ils demandèrent qui était là, reconnurent la voix de leurs valets et ouvrirent.

En effet, c'étaient Planchet et Grimaud.

— Grimaud suffira pour garder les chevaux, dit Planchet ; si ces Messieurs veulent, je coucherai en travers de leur porte ; de cette façon-là, ils seront sûrs qu'on n'arrivera pas jusqu'à eux.

— Et sur quoi coucheras-tu ? dit d'Artagnan.

— Voici mon lit, répondit Planchet.

Et il montra une botte de paille.

— Viens donc, dit d'Artagnan, tu as raison : la figure de l'hôte ne me convient pas, elle est trop gracieuse.

— Ni à moi non plus, dit Athos.

Planchet monta par la fenêtre, s'installa en travers de la porte, tandis que Grimaud allait s'enfermer dans l'écurie, répondant qu'à cinq heures du matin lui et les quatre chevaux seraient prêts.

La nuit fut assez tranquille, on essaya bien vers les deux heures du matin d'ouvrir la porte ; mais comme Planchet se réveilla en sursaut et cria : *Qui va là ?* on répondit qu'on se trompait, et on s'éloigna.

À quatre heures du matin, on entendit un grand bruit dans les écuries. Grimaud avait voulu réveiller les garçons d'écurie, et les garçons d'écurie le battaient. Quand on ouvrit la fenêtre, on vit le pauvre garçon sans connaissance, la tête fendue d'un coup de manche à fourche.

Planchet descendit dans la cour et voulut seller les chevaux ; les chevaux étaient fourbus. Celui de Mousqueton seul, qui avait voyagé sans maître pendant cinq ou six heures la veille aurait pu continuer la route ; mais, par une erreur inconcevable, le chirurgien vétérinaire qu'on avait envoyé chercher, à ce qu'il paraît, pour saigner le cheval de l'hôte, avait saigné celui de Mousqueton.

Cela commençait à devenir inquiétant : tous ces accidents successifs étaient peut-être le résultat du hasard, mais ils pouvaient tout aussi bien être le fruit d'un complot. Athos et d'Artagnan sortirent, tandis que Planchet allait s'informer s'il n'y avait pas trois chevaux à vendre dans les environs. À la porte étaient deux chevaux tout équipés, frais et vigoureux. Cela faisait bien l'affaire. Il demanda où étaient les maîtres ; on lui dit que les maîtres avaient passé la nuit dans l'auberge et réglaient leur compte à cette heure avec le maître.

Athos descendit pour payer la dépense, tandis que d'Artagnan et Planchet se tenaient sur la porte de la rue ; l'hôtelier était dans une chambre basse et reculée, on pria Athos d'y passer.

Athos entra sans défiance et tira deux pistoles pour payer : l'hôte était seul et assis devant son bureau, dont un des tiroirs était entrouvert. Il prit l'argent que lui présenta Athos, le tourna et le retourna dans ses mains, et tout à coup, s'écriant que la pièce était fausse, il déclara qu'il allait le faire arrêter, lui et son compagnon, comme faux monnayeurs.

— Drôle ! dit Athos, en marchant sur lui, je vais te couper les oreilles.!

Au même moment, quatre hommes armés jusqu'aux dents entrèrent par les portes latérales et se jetèrent sur Athos.

— Je suis pris, cria Athos de toutes les forces de ses poumons ; au large, d'Artagnan ! pique, pique ! et il lâcha deux coups de pistolet.

D'Artagnan et Planchet ne se le firent pas répéter à deux fois, ils détachèrent les deux chevaux qui attendaient à la porte, sautèrent dessus, leur enfoncèrent leurs éperons dans le ventre et partirent au triple galop.

— Sais-tu ce qu'est devenu Athos ? demanda d'Artagnan à Planchet en courant.

— Ah ! Monsieur, dit Planchet, j'en ai vu tomber deux à ses deux coups, et il m'a semblé, à travers la porte vitrée, qu'il ferraillait avec les autres.

— Brave Athos ! murmura d'Artagnan. Et quand on pense qu'il faut l'abandonner ! Au reste, autant nous attend peut-être à deux pas d'ici. En avant, Planchet, en avant ! tu es un brave homme.

— Monsieur, répondit Planchet, les Picards, ça se reconnaît à l'user[2] ; d'ailleurs je suis ici dans mon pays, ça m'excite.

Et tous deux, piquant de plus belle, arrivèrent à Saint-Omer d'une seule traite. À Saint-Omer, ils firent souffler les chevaux la bride passée à leurs bras, de peur d'accident, et mangèrent un morceau sur le pouce tout debout dans la rue, après quoi ils repartirent.

À cent pas des portes de Calais, le cheval de d'Artagnan s'abattit, et il n'y eut pas moyen de le faire se relever : le sang lui sortait par le nez et par les yeux ; restait celui de Planchet, mais celui-là s'était arrêté, et il n'y eut plus moyen de le faire repartir.

Heureusement, comme nous l'avons dit, ils étaient à cent pas de la ville ; ils laissèrent les deux montures sur le grand chemin et coururent au port. Planchet fit remarquer à son maître un gentilhomme qui arrivait avec son valet et qui ne les précédait que d'une cinquantaine de pas.

Ils s'approchèrent vivement de ce gentilhomme, qui paraissait fort affairé. Il avait ses bottes couvertes de

_____

2. À l'usage.

poussière, et s'informait s'il ne pourrait point passer à l'instant même en Angleterre.

— Rien ne serait plus facile, répondit le patron d'un bâtiment prêt à mettre à la voile ; mais, ce matin, est arrivé l'ordre de ne laisser partir personne sans une permission expresse de M. le cardinal.

— J'ai cette permission, dit le gentilhomme en tirant un papier de sa poche ; la voici.

— Faites-la viser par le gouverneur du port, dit le patron, et donnez-moi la préférence.

— Où trouverai-je le gouverneur ?

— À un quart de lieue de la ville ; tenez ; vous la voyez d'ici, au pied de cette petite éminence, ce toit en ardoises.

— Très bien ! dit le gentilhomme.

Et, suivi de son laquais, il prit le chemin de la maison de campagne du gouverneur.

D'Artagnan et Planchet suivirent le gentilhomme à cinq cents pas de distance.

Une fois hors de la ville, d'Artagnan pressa le pas et rejoignit le gentilhomme comme il entrait dans un petit bois.

— Monsieur, lui dit d'Artagnan, vous me paraissez fort pressé ?

— On ne peut plus pressé, Monsieur.

— J'en suis désespéré, dit d'Artagnan, car, comme je suis très pressé aussi, je voulais vous prier de me rendre un service.

— Lequel ?

— De me laisser passer le premier.

— Impossible, dit le gentilhomme, j'ai fait soixante

lieues en quarante-quatre heures, et il faut que demain à midi je sois à Londres.

— J'ai fait le même chemin en quarante heures, et il faut que demain à dix heures du matin je sois à Londres.

— Désespéré, Monsieur ; mais je suis arrivé le premier et je ne passerai pas le second.

— Mais c'est une mauvaise querelle que vous me cherchez là, ce me semble.

— Parbleu que voulez-vous que ce soit ?

— Que désirez-vous ?

— Eh bien ! je veux l'ordre dont vous êtes porteur, attendu que je n'en ai pas, moi, et qu'il m'en faut un.

— Vous plaisantez, je présume.

— Je ne plaisante jamais.

— Mon brave jeune homme, je vais vous casser la tête. Holà, Lubin ! mes pistolets.

— Planchet, dit d'Artagnan, charge-toi du valet, je me charge du maître.

Planchet, enhardi par le premier exploit, sauta sur Lubin, et comme il était fort et vigoureux, il le renversa les reins contre terre et lui mit le genou sur la poitrine.

Voyant cela, le gentilhomme tira son épée et fondit sur d'Artagnan ; mais il avait affaire à forte partie. En trois secondes d'Artagnan lui fournit trois coups d'épée en disant à chaque coup :

— Un pour Athos, un pour Porthos, un pour Aramis.

Au troisième coup, le gentilhomme tomba comme une masse.

D'Artagnan fouilla dans la poche où il l'avait vu remettre l'ordre de passage, et le prit. Il était au nom du comte de Wardes.

Puis, jetant un dernier coup d'œil sur le beau jeune homme, qui avait vingt-cinq ans à peine et qu'il laissait là, gisant, privé de sentiment et peut-être mort, il poussa un soupir sur cette étrange destinée qui porte les hommes à se détruire les uns les autres pour les intérêts de gens qui leur sont étrangers et qui souvent ne savent pas même qu'ils existent.

Mais il fut bientôt tiré de ces réflexions par Lubin, qui poussait des hurlements et criait de toutes ses forces au secours.

Planchet lui appliqua la main sur la gorge et serra de toutes ses forces.

— Maintenant, dit Planchet, lions-le à un arbre.

La chose fut faite en conscience, puis on tira le comte de Wardes près de son domestique ; et comme, la nuit commençait à tomber et que le garrotté et le blessé étaient tous deux à quelques pas dans le bois, il était évident qu'ils devaient rester jusqu'au lendemain.

— Et maintenant, dit d'Artagnan, chez le gouverneur !

— Mais vous êtes blessé, ce me semble ? dit Planchet.

— Ce n'est rien, occupons-nous du plus pressé ; puis nous reviendrons à ma blessure, qui, au reste, ne me paraît pas très dangereuse.

Et tous deux s'acheminèrent à grands pas vers la campagne du digne fonctionnaire.

On annonça M. le comte de Wardes.

D'Artagnan fut introduit.

— Vous avez un ordre signé du cardinal ? dit le gouverneur.

— Oui, Monsieur, répondit d'Artagnan, le voici.

— Ah ! ah ! il est en règle et bien recommandé, dit le gouverneur.

Et joyeux de cette assurance, le gouverneur visa le laissez-passer et le remit à d'Artagnan.

D'Artagnan ne perdit pas son temps en compliments inutiles, il salua le gouverneur, le remercia et partit. Une fois dehors, lui et Planchet prirent leur course, et faisant un long détour, ils évitèrent le bois et rentrèrent par une autre porte.

Le bâtiment était toujours prêt à partir, le patron attendait sur le port.

— Eh bien ? dit-il en apercevant d'Artagnan.

— Voici ma passe[3] visée, dit celui-ci.

— Et cet autre gentilhomme ?

— Il ne partira pas aujourd'hui, dit d'Artagnan, mais soyez tranquille, je paierai le passage pour nous deux.

— En ce cas, partons, dit le patron.

— Partons ! répéta d'Artagnan.

Et il sauta avec Planchet dans le canot ; cinq minutes après, ils étaient à bord.

Il était temps : à une demi-lieue en mer, d'Artagnan vit briller une lumière et entendit une détonation.

C'était le coup de canon qui annonçait la fermeture du port.

---

3. Mon passeport, mon sauf-conduit.

Il était temps de s'occuper de sa blessure ; heureusement, comme l'avait pensé d'Artagnan, elle n'était pas des plus dangereuses : la pointe de l'épée avait rencontré une côte et avait glissé le long de l'os ; de plus, la chemise s'était collée aussitôt à la plaie, et à peine avait-elle répandu quelques gouttes de sang.

D'Artagnan était brisé de fatigue : on lui étendit un matelas sur le pont, il se jeta dessus et s'endormit.

Le lendemain, au point du jour, il se trouva à trois ou quatre lieues seulement des côtes d'Angleterre ; la brise avait été faible toute la nuit, et l'on avait peu marché.

À dix heures, le bâtiment jetait l'ancre dans le port de Douvres.

À dix heures et demie, d'Artagnan mettait le pied sur la terre d'Angleterre, en s'écriant :

— Enfin, m'y voilà !

Mais ce n'était pas tout : il fallait gagner Londres. En Angleterre, la poste[4] était assez bien servie. D'Artagnan et Planchet prirent chacun un bidet, un postillon courut devant eux ; en quatre heures ils arrivèrent aux portes de la capitale.

D'Artagnan ne connaissait pas Londres, d'Artagnan ne savait pas un mot d'anglais ; mais il écrivit le nom de Buckingham sur un papier, et chacun lui indiqua l'hôtel du duc.

Le duc était à la chasse à Windsor, avec le roi.

D'Artagnan demanda le valet de chambre de confiance du duc, qui, l'ayant accompagné dans tous

_____
4. Le réseau de chevaux de poste pour le service des voyageurs.

ses voyages, parlait parfaitement français ; il lui dit qu'il arrivait de Paris pour affaire de vie et de mort, et qu'il fallait qu'il parlât à son maître à l'instant même.

La confiance avec laquelle parlait d'Artagnan convainquit Patrice ; c'était le nom de ce ministre du ministre. Il fit seller deux chevaux et se chargea de conduire le jeune garde. Quant à Planchet, on l'avait descendu de sa monture, raide comme un jonc : le pauvre garçon était au bout de ses forces ; d'Artagnan semblait de fer.

On arriva au château ; là on se renseigna : le roi et Buckingham chassaient à l'oiseau dans des marais situés à deux ou trois lieues de là.

En vingt minutes on fut au lieu indiqué. Bientôt Patrice entendit la voix de son maître, qui appelait son faucon.

— Qui faut-il que j'annonce à Milord duc ? demanda Patrice.

— Le jeune homme qui, un soir, lui a cherché une querelle sur le Pont-Neuf, en face de la Samaritaine.

— Singulière recommandation !

— Vous verrez qu'elle en vaut bien une autre.

Patrice mit son cheval au galop, atteignit le duc et lui annonça dans les termes que nous avons dits qu'un messager l'attendait.

Buckingham reconnut d'Artagnan à l'instant même, et se doutant que quelque chose se passait en France dont on lui faisait parvenir la nouvelle, il ne prit que le temps de demander où était celui qui la lui apportait ; et ayant reconnu de loin l'uniforme des gardes, il mit son cheval au galop et vint droit à d'Artagnan. Patrice, par discrétion, se tint à l'écart.

— Il n'est point arrivé malheur à la reine ? s'écria Buckingham, répandant toute sa pensée et tout son amour dans cette interrogation.

— Je ne crois pas ; cependant je crois qu'elle court quelque grand péril dont Votre Grâce seule peut la tirer.

— Moi ? s'écria Buckingham. Eh quoi ! je serais assez heureux pour lui être bon à quelque chose ! Parlez ! parlez !

— Prenez cette lettre, dit d'Artagnan.

— Cette lettre ! de qui vient cette lettre ?

— De Sa Majesté, à ce que je pense.

— De Sa Majesté ! dit Buckingham, pâlissant si fort que d'Artagnan crut qu'il allait se trouver mal.

Et il brisa le cachet.

— Quelle est cette déchirure ? dit-il en montrant à d'Artagnan un endroit où elle était percée à jour.

— Ah ! ah ! dit d'Artagnan, je n'avais pas vu cela ; c'est l'épée du comte de Wardes qui aura fait ce beau coup en me trouant la poitrine.

— Vous êtes blessé ? demanda Buckingham en rompant le cachet.

— Oh ! rien ! dit d'Artagnan, une égratignure.

— Juste Ciel ! qu'ai-je lu ! s'écria le duc. Patrice, reste ici, ou plutôt rejoins le roi partout où il sera, et dis à Sa Majesté que je la supplie bien humblement de m'excuser, mais qu'une affaire de la plus haute importance me rappelle à Londres. Venez, Monsieur, venez.

Et tous deux reprirent au galop le chemin de la capitale.

21

La comtesse de Winter

En entrant dans la cour de l'hôtel, Buckingham sauta à bas de son cheval, et, sans s'inquiéter de ce qu'il deviendrait, il lui jeta la bride sur le cou et s'élança vers le perron. Le duc marchait si rapidement, que d'Artagnan avait peine à le suivre. Il traversa successivement plusieurs salons d'une élégance dont les plus grands seigneurs de France n'avaient pas même l'idée, et il parvint enfin dans une chambre à coucher qui était à la fois un miracle de goût et de richesse. Dans l'alcôve de cette chambre était une porte, prise dans la tapisserie, que le duc ouvrit avec une petite clef d'or qu'il portait suspendue à son cou par une chaîne du même métal. Par discrétion, d'Artagnan était resté en arrière ; mais au moment où Buckingham franchissait le seuil de cette porte, il se retourna, et voyant l'hésitation du jeune homme :

— Venez, lui dit-il, et si vous avez le bonheur d'être admis en la présence de Sa Majesté, dites-lui ce que vous avez vu.

Tous deux se trouvèrent alors dans une petite chapelle toute tapissée de soie de Perse et brochée d'or, ardemment éclairée par un grand nombre de bougies. Au-dessus d'une espèce d'autel, et au-dessous d'un dais[1] de velours bleu surmonté de plumes blanches et rouges, était un portrait de grandeur naturelle représentant Anne d'Autriche, si parfaitement ressemblant, que d'Artagnan poussa un cri de surprise : on eût cru que la reine allait parler.

Sur l'autel, et au-dessous du portrait, était le coffret qui renfermait les ferrets de diamants.

Le duc s'approcha de l'autel, s'agenouilla comme eût pu faire un prêtre devant le Christ ; puis il ouvrit le coffret.

— Tenez, lui dit-il en tirant du coffre un gros nœud de ruban bleu tout étincelant de diamants ; tenez, voici ces précieux ferrets avec lesquels j'avais fait le serment d'être enterré. La reine me les avait donnés, la reine me les reprend : sa volonté, comme celle de Dieu, soit faite en toutes choses.

Puis il se mit à baiser les uns après les autres ces ferrets dont il fallait se séparer. Tout à coup, il poussa un cri terrible.

---

1. Tissu qui forme toit au-dessus de l'autel.

205

— Qu'y a-t-il ? demanda d'Artagnan avec inquiétude, et que vous arrive-t-il, Milord ?

— Il y a que tout est perdu, s'écria Buckingham en devenant pâle comme un trépassé ; deux de ces ferrets manquent, il n'y en a plus que dix.

— Milord les a-t-il perdus, ou croit-il qu'on les lui ait volés ?

— On me les a volés, reprit le duc, et c'est le cardinal qui a fait le coup. Tenez, voyez, les rubans qui les soutenaient ont été coupés avec des ciseaux.

— Si Milord pouvait se douter qui a commis le vol… Peut-être la personne les a-t-elle encore entre les mains.

— Attendez, attendez ! s'écria le duc. La seule fois que j'ai mis ces ferrets, c'était au bal du roi, il y a huit jours, à Windsor. La comtesse de Winter, avec laquelle j'étais brouillé, s'est rapprochée de moi à ce bal. Ce raccommodement, c'était une vengeance de femme jalouse. Depuis ce jour, je ne l'ai pas revue. Cette femme est un agent du cardinal.

— Mais il en a donc dans le monde entier ! s'écria d'Artagnan.

— Oh ! oui, oui, dit Buckingham en serrant les dents de colère ; oui, c'est un terrible lutteur. Mais cependant, quand doit avoir lieu ce bal ?

— Lundi prochain.

— Lundi prochain ! cinq jours encore, c'est plus de temps qu'il ne nous en faut. Patrice ! s'écria le duc en ouvrant la porte de la chapelle, Patrice !

Son valet de chambre de confiance parut.

— Mon joaillier et mon secrétaire !

Le valet de chambre sortit avec une promptitude et un mutisme qui prouvaient l'habitude qu'il avait contractée d'obéir aveuglément et sans réplique.

Mais, quoique ce fût le joaillier qui eût été appelé le premier, ce fut le secrétaire qui parut d'abord. C'était tout simple, il habitait l'hôtel. Il trouva Buckingham assis devant une table dans sa chambre à coucher, et écrivant quelques ordres de sa propre main.

— Monsieur Jackson, lui dit-il, vous allez vous rendre de ce pas chez le lord-chancelier, et lui dire que je le charge de l'exécution de ces ordres. Je désire qu'ils soient promulgués à l'instant même.

Le secrétaire s'inclina et sortit.

— Nous voilà tranquilles de ce côté, dit Buckingham en se retournant vers d'Artagnan. Si les ferrets ne sont point déjà partis pour la France, ils n'y arriveront qu'après vous.

— Comment cela ?

— Je viens de mettre un embargo sur tous les bâtiments qui se trouvent à cette heure dans les ports de Sa Majesté, et, à moins de permission particulière, pas un seul n'osera lever l'ancre.

D'Artagnan regarda avec stupéfaction cet homme qui mettait le pouvoir illimité dont il était revêtu par la confiance d'un roi au service de ses amours. Buckingham vit, à l'expression du visage du jeune homme, ce qui se passait dans sa pensée, et il sourit.

— Oui, dit-il, oui, c'est qu'Anne d'Autriche est ma véritable reine ; sur un mot d'elle, je trahirais mon pays, je trahirais mon roi, je trahirais mon Dieu.

D'Artagnan admira à quels fils fragiles et inconnus

sont parfois suspendues les destinées d'un peuple et la vie des hommes.

Il en était au plus profond de ses réflexions, lorsque l'orfèvre entra : c'était un Irlandais des plus habiles dans son art, et qui avouait lui-même qu'il gagnait cent mille livres par an avec le duc de Buckingham.

— Monsieur O'Reilly, lui dit le duc en le conduisant dans la chapelle, voyez ces ferrets de diamants, et dites-moi ce qu'ils valent la pièce.

L'orfèvre jeta un seul coup d'œil sur la façon élégante dont ils étaient montés, calcula l'un dans l'autre la valeur des diamants, et sans hésitation aucune :

— Quinze cents pistoles la pièce, Milord, répondit-il.

— Combien faudrait-il de jours pour faire deux ferrets comme ceux-là ? Vous voyez qu'il en manque deux.

— Huit jours, Milord.

— Je les paierai trois mille pistoles la pièce, il me les faut après-demain.

— Milord les aura.

Ce point réglé, le duc revint à d'Artagnan.

— Maintenant, mon jeune ami, dit-il, l'Angleterre est à nous deux ; que voulez-vous, que désirez-vous ?

— Un lit, répondit d'Artagnan ; c'est, pour le moment, je l'avoue, la chose dont j'ai le plus besoin.

Buckingham donna à d'Artagnan une chambre qui touchait à la sienne. Il voulait garder le jeune homme sous sa main, non pas qu'il se défiât de lui, mais pour avoir quelqu'un à qui parler constamment de la reine.

Une heure après fut promulguée dans Londres l'ordonnance de ne laisser sortir des ports aucun bâtiment chargé pour la France, pas même le paquebot des lettres. Aux yeux de tous, c'était une déclaration de guerre entre les deux royaumes.

Le surlendemain, à onze heures, les deux ferrets en diamants étaient achevés, mais si exactement imités, mais si parfaitement pareils, que Buckingham ne put reconnaître les nouveaux des anciens, et que les plus exercés en pareille matière y auraient été trompés comme lui.

Aussitôt il fit appeler d'Artagnan.

— Tenez, lui dit-il, voici les ferrets de diamants que vous êtes venu chercher, et soyez mon témoin que tout ce que la puissance humaine pouvait faire, je l'ai fait.

— Soyez tranquille, Milord : je dirai ce que j'ai vu ; mais Votre Grâce me remet les ferrets sans la boîte ?

— La boîte vous embarrasserait. D'ailleurs la boîte m'est d'autant plus précieuse, qu'elle me reste seule. Vous direz que je la garde.

— Je ferai votre commission mot à mot, Milord.

D'Artagnan salua le duc et s'apprêta à partir.

— Eh bien ! vous vous en allez comme cela ? Par où ? Comment ?

— C'est vrai.

— Dieu me damne ! les Français ne doutent de rien !

— J'avais oublié que l'Angleterre était une île, et que vous en étiez le roi.

— Allez au port, demandez le brick[2] le *Sunds*, remettez cette lettre au capitaine ; il vous conduira à

_____
2. Navire à voile à deux mâts.

un petit port où certes on ne vous attend pas, et où n'abordent ordinairement que des bâtiments pêcheurs.

— Ce port s'appelle ?

— Saint-Valery ; mais, attendez donc : arrivé là, vous entrerez dans une mauvaise auberge sans nom et sans enseigne, un véritable bouge[3] à matelots ; il n'y a pas à vous tromper, il n'y en a qu'une.

— Après ?

— Vous demanderez l'hôte, et vous lui direz : *Forward*.

— Ce qui veut dire ?

— En avant : c'est le mot d'ordre. Il vous donnera un cheval tout sellé et vous indiquera le chemin que vous devez suivre ; vous trouverez ainsi quatre relais sur votre route. Si vous voulez, à chacun d'eux, donner votre adresse à Paris, les quatre chevaux vous y suivront ; vous en connaissez déjà deux, et vous m'avez paru les apprécier en amateur : ce sont ceux que nous montions rapportez-vous-en à moi, les autres ne leur sont point inférieurs. Ces quatre chevaux sont équipés pour la campagne. Maintenant, votre main, jeune homme ; peut-être nous rencontrerons-nous bientôt sur le champ de bataille ; mais, en attendant, nous nous quitterons bons amis, je l'espère.

— Oui, Milord, mais avec l'espérance de devenir ennemis bientôt.

— Soyez tranquille, je vous le promets.

— Je compte sur votre parole, Milord.

---

3. Taudis, lieu malpropre.

D'Artagnan salua le duc et s'avança vivement vers le port.

En face de la Tour de Londres, il trouva le bâtiment désigné, remit sa lettre au capitaine, qui la fit viser par le gouverneur du port, et appareilla aussitôt.

Cinquante bâtiments étaient en partance et attendaient.

En passant bord à bord de l'un d'eux, d'Artagnan crut reconnaître la femme de Meung, la même que le gentilhomme inconnu avait appelée « Milady », et que lui, d'Artagnan, avait trouvée si belle ; mais grâce au courant du fleuve et au bon vent qui soufflait, son navire allait si vite qu'au bout d'un instant on fut hors de vue.

Le lendemain, vers neuf heures du matin, on aborda à Saint-Valery.

D'Artagnan se dirigea à l'instant même vers l'auberge indiquée, et la reconnut aux cris qui s'en échappaient : on parlait de guerre entre l'Angleterre et la France comme de chose prochaine et indubitable, et les matelots joyeux faisaient bombance.

D'Artagnan fendit la foule, s'avança vers l'hôte, et prononça le mot *Forward*. À l'instant même, l'hôte lui fit signe de le suivre, sortit avec lui par une porte qui donnait dans la cour, le conduisit à l'écurie où l'attendait un cheval tout sellé, et lui demanda s'il avait besoin de quelque autre chose.

— J'ai besoin de connaître la route que je dois suivre, dit d'Artagnan.

— Allez d'ici à Blangy, et de Blangy à Neufchâtel. À Neufchâtel, entrez à l'auberge de la *Herse d'Or*, donnez le mot d'ordre à l'hôtelier, et vous trouverez comme ici un cheval tout sellé.

— Dois-je quelque chose ? demanda d'Artagnan.

— Tout est payé, dit l'hôte, et largement. Allez donc, et que Dieu vous conduise !

— Amen ! répondit le jeune homme en partant au galop.

Quatre heures après, il était à Neufchâtel.

Il suivit strictement les instructions reçues ; à Neufchâtel, comme à Saint-Valery, il trouva une monture toute sellée et qui l'attendait ; il voulut transporter les pistolets de la selle qu'il venait de quitter à la selle qu'il allait prendre : les fontes[4] étaient garnies de pistolets pareils.

— Votre adresse à Paris ?

— Hôtel des Gardes, compagnie des Essarts.

— Bien, répondit celui-ci.

— Quelle route faut-il prendre ? demanda à son tour d'Artagnan.

— Celle de Rouen ; mais vous laisserez la ville à votre droite. Au petit village d'Écouis, vous vous arrêterez, il n'y a qu'une auberge, l'*Écu de France*. Ne la jugez pas d'après son apparence ; elle aura dans ses écuries un cheval qui vaudra celui-ci.

— Même mot d'ordre ?

— Exactement.

— Adieu, maître !

— Bon voyage, gentilhomme ! Avez-vous besoin de quelque chose ?

_____

4. Fourreaux de cuir suspendus à la selle où se placent les pistolets.

D'Artagnan fit signe de la tête que non, et repartit à fond de train. À Écouis, la même scène se répéta : il trouva un hôte aussi prévenant, un cheval frais et reposé ; il laissa son adresse comme il l'avait fait, et repartit du même train pour Pontoise. À Pontoise, il changea une dernière fois de monture, et à neuf heures il entrait au grand galop dans la cour de l'hôtel de M. de Tréville.

Il avait fait près de soixante lieues en douze heures.

M. de Tréville le reçut comme s'il l'avait vu le matin même ; seulement, en lui serrant la main un peu plus vivement que de coutume, il lui annonça que la compagnie de M. des Essarts était de garde au Louvre et qu'il pouvait se rendre à son poste.

22

Le ballet de la Merlaison

Le lendemain, il n'était bruit dans tout Paris que du bal que MM. les échevins de la ville donnaient au roi et à la reine, et dans lequel Leurs Majestés devaient danser le fameux ballet de la Merlaison, qui était ballet favori du roi.

Depuis huit jours on préparait, en effet, toutes choses à l'Hôtel de Ville pour cette solennelle soirée. Le menuisier de la ville avait dressé des échafauds[1] sur lesquels devaient se tenir les dames invitées ; l'épicier de la ville avait garni les salles de deux cents flambeaux de cire blanche, ce qui était un luxe inouï pour cette, époque ; enfin vingt violons avaient été prévenus, et le prix qu'on leur accordait avait été fixé

_____
1. Estrades de bois.

au double du prix ordinaire, attendu, dit ce rapport, qu'ils devaient sonner toute la nuit.

À six heures du soir, les invités commencèrent à entrer. À mesure qu'ils entraient, ils étaient placés dans la grande salle, sur les échafauds préparés.

À neuf heures arriva Mme la première présidente[2]. Comme c'était, après la reine, la personne la plus considérable de la fête, elle fut reçue par Messieurs de la ville et placée dans la loge en face de celle que devait occuper la reine.

À dix heures on dressa la collation des confitures pour le roi, dans la petite salle du côté de l'église Saint-Jean, et cela en face du buffet d'argent de la ville, qui était gardé par quatre archers.

À minuit on entendit de grands cris et de nombreuses acclamations : c'était le roi qui s'avançait à travers les rues qui conduisent du Louvre à l'Hôtel de Ville, et qui étaient toutes illuminées avec des lanternes de couleur.

Aussitôt MM. les échevins, vêtus de leurs robes de drap et précédés de six sergents tenant chacun un flambeau à la main, allèrent au-devant du roi, qu'ils rencontrèrent sur les degrés, où le prévôt des marchands[3] lui fit compliment sur sa bienvenue, compliment auquel Sa Majesté répondit en s'excusant d'être venue si tard, mais en rejetant la faute sur M. le cardinal, lequel l'avait retenue jusqu'à onze heures pour parler des affaires de l'État.

2. La femme du Premier Président du Parlement de Paris.
3. Chef de l'Hôtel de Ville.

Sa Majesté, en habit de cérémonie, était accompagnée de S. A. R. Monsieur, du comte de Soissons, du grand prieur, du duc de Longueville, du duc d'Elbeuf, du comte d'Harcourt, du comte de La Roche-Guyon, de M. de Liancourt, de M. de Baradas, du comte de Cramail et du chevalier de Souveray.

Chacun remarqua que le roi avait l'air triste et préoccupé.

Un cabinet avait été préparé pour le roi, et un autre pour Monsieur. Dans chacun de ces cabinets étaient déposés des habits de masques[4]. Autant avait été fait pour la reine et pour Mme la présidente. Les seigneurs et les dames de la suite de Leurs Majestés devaient s'habiller deux par deux dans des chambres préparées à cet effet.

Avant d'entrer dans le cabinet, le roi recommanda qu'on le vînt prévenir aussitôt que paraîtrait le cardinal.

Une demi-heure après l'entrée du roi, de nouvelles acclamations retentirent : celles-là annonçaient l'arrivée de la reine : les échevins firent ainsi qu'ils avaient fait déjà, et, précédés des sergents, ils s'avancèrent au-devant de leur illustre convive.

La reine entra dans la salle : on remarqua que, comme le roi, elle avait l'air triste et surtout fatigué.

Au moment où elle entrait, le rideau d'une petite tribune qui jusque-là était resté fermé s'ouvrit, et l'on vit apparaître la tête pâle du cardinal vêtu en cavalier espagnol. Ses yeux se fixèrent sur ceux de la reine, et

___
4. Des déguisements.

un sourire de joie terrible passa sur ses lèvres : la reine n'avait pas ses ferrets de diamants.

La reine resta quelque temps à recevoir les compliments de Messieurs de la ville et à répondre aux saluts des dames.

Tout à coup, le roi apparut avec le cardinal à l'une des portes de la salle. Le cardinal lui parlait tout bas, et le roi était très pâle.

Le roi fendit la foule et, sans masque, les rubans de son pourpoint à peine noués, il s'approcha de la reine, et d'une voix altérée :

— Madame, lui dit-il, pourquoi donc, s'il vous plaît, n'avez-vous point vos ferrets de diamants, quand vous savez qu'il m'eût été agréable de les voir ?

La reine étendit son regard autour d'elle, et vit derrière le roi le cardinal qui souriait d'un sourire diabolique.

— Sire, répondit la reine d'une voix altérée, parce qu'au milieu de cette grande foule j'ai craint qu'il ne leur arrivât malheur.

— Et vous avez eu tort, Madame ! Si je vous ai fait ce cadeau, c'était pour que vous vous en pariez. Je vous dis que vous avez eu tort.

Et la voix du roi était tremblante de colère ; chacun regardait et écoutait avec étonnement, ne comprenant rien à ce qui se passait.

— Sire, dit la reine, je puis les envoyer chercher au Louvre, où ils sont, et ainsi les désirs de Votre Majesté seront accomplis.

— Faites, Madame, faites, et cela au plus tôt : car dans une heure le ballet va commencer.

La reine salua en signe de soumission et suivit les dames qui devaient la conduire à son cabinet.

De son côté, le roi regagna le sien.

Il y eut dans la salle un moment de trouble et de confusion.

Tout le monde avait pu remarquer qu'il s'était passé quelque chose entre le roi et la reine ; mais tous deux avaient parlé si bas, que, chacun par respect s'étant éloigné de quelques pas, personne n'avait rien entendu. Les violons sonnaient de toutes leurs forces, mais on ne les écoutait pas.

Le roi sortit le premier de son cabinet ; il était en costume de chasse des plus élégants, et Monsieur et les autres seigneurs étaient habillés comme lui. C'était le costume que le roi portait le mieux, et vêtu ainsi il semblait véritablement le premier gentilhomme de son royaume.

Le cardinal s'approcha du roi et lui remit une boîte. Le roi l'ouvrit et y trouva deux ferrets de diamants.

— Que veut dire cela ? demanda-t-il au cardinal.

— Rien, répondit celui-ci ; seulement si la reine a les ferrets, ce dont je doute, comptez-les, Sire, et si vous n'en trouvez que dix, demandez à Sa Majesté qui peut lui avoir dérobé les deux ferrets que voici.

Le roi regarda le cardinal comme pour l'interroger ; mais il n'eut le temps de lui adresser aucune question : un cri d'admiration sortit de toutes les bouches. Si le roi semblait le premier gentilhomme de son royaume, la reine était à coup sûr la plus belle femme de France.

Il est vrai que sa toilette de chasseresse lui allait à merveille ; elle avait un chapeau de feutre avec des plumes bleues, un surtout[5] en velours gris perle rattaché avec des agrafes de diamants, et une jupe de satin bleu toute brodée d'argent. Sur son épaule gauche étincelaient les ferrets soutenus par un nœud de même couleur que les plumes et la jupe.

Le roi tressaillit de joie et le cardinal de colère ; cependant, distants comme ils l'étaient de la reine, ils ne pouvaient compter les ferrets ; la reine les avait, seulement en avait-elle dix ou en avait-elle douze ?

En ce moment, les violons sonnèrent le signal du ballet. Le roi s'avança vers Mme la présidente, avec laquelle il devait danser, et S. A. R. Monsieur avec la reine. On se mit en place, et le ballet commença.

Le roi figurait en face de la reine, et chaque fois qu'il passait près d'elle, il dévorait du regard ces ferrets, dont il ne pouvait savoir le compte. Une sueur froide couvrait le front du cardinal.

Le ballet dura une heure ; il avait seize entrées[6].

Le ballet finit au milieu des applaudissements de toute la salle, chacun reconduisit sa dame à sa place ; mais le roi profita du privilège qu'il avait de laisser la sienne où il se trouvait, pour s'avancer vivement vers la reine.

— Je vous remercie, Madame, lui dit-il, de la déférence que vous avez montrée pour mes désirs, mais je crois qu'il vous manque deux ferrets, et je vous les rapporte.

À ces mots, il tendit à la reine les deux ferrets que lui avait remis le cardinal.

---

5. Vêtement que l'on met sur les autres habits.
6. Séquences du ballet.

— Comment, Sire ! s'écria la jeune reine jouant la surprise, vous m'en donnez encore deux autres ; mais alors, cela m'en fera donc quatorze ?

En effet, le roi compta, et les douze ferrets se trouvèrent sur l'épaule de Sa Majesté.

Le roi appela le cardinal :

— Eh bien ! que signifie cela, Monsieur le cardinal ? demanda le roi d'un ton sévère.

— Cela signifie, Sire, répondit le cardinal, que je désirais faire accepter ces deux ferrets à Sa Majesté, et que n'osant les lui offrir moi-même, j'ai adopté ce moyen.

— Et j'en suis d'autant plus reconnaissante à Votre Éminence, répondit Anne d'Autriche avec un sourire qui prouvait qu'elle n'était pas dupe de cette ingénieuse galanterie, que je suis certaine que ces deux ferrets vous coûtent aussi cher à eux seuls que les douze autres ont coûté à Sa Majesté.

Puis, ayant salué le roi et le cardinal, la reine reprit le chemin de la chambre où elle s'était habillée et où elle devait se dévêtir.

TABLE

Le Livre de Poche s'engage pour
l'environnement en réduisant
l'empreinte carbone de ses livres.
Celle de cet exemplaire est de :
250 g éq. CO$_2$
Rendez-vous sur
www.livredepoche-durable.fr

PAPIER À BASE DE
FIBRES CERTIFIÉES

« Pour l'éditeur, le principe est d'utiliser des papiers composés de fibres naturelles, renouvelables, recyclables et fabriquées à partir de bois issus de forêts qui adoptent un système d'aménagement durable. En outre, l'éditeur attend de ses fournisseurs de papier qu'ils s'inscrivent dans une démarche de certification environnementale reconnue. »

Édité par la Librairie Générale Française - LPJ
(43 quai de Grenelle, 75905 Paris Cedex 15)

Composition PCA
Achevé d'imprimer en Espagne par Liberdúplex
Dépôt légal 1re publication juillet 2014
39.6670.0/06 - ISBN : 978-2-01-397128-7
Loi n° 49-956 du 16 juillet 1949 sur les publications destinées à la jeunesse
Dépôt légal : janvier 2018